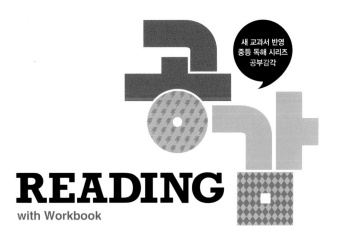

새 교과서 반영
중등 독해 시리즈
공부감각

공감 READING

with Workbook

Level 3

KB087577

Reading 공감 Level 3

지은이 넥서스영어교육연구소
펴낸이 안용백
펴낸곳 (주)넥서스

출판신고 1992년 4월 3일 제311-2002-2호 ①
121-893 서울특별시 마포구 양화로 8길 24
Tel (02)330-5500 Fax (02)330-5555

ISBN 978-89-6790-884-3 54740
978-89-6790-881-2 (SET)

가격은 뒤표지에 있습니다.
잘못 만들어진 책은 구입처에서 바꾸어 드립니다.

www.nexusEDU.kr
NEXUS Edu는 (주)넥서스의 초·중·고 학습물 전문 브랜드입니다.

※집필에 도움을 주신 분
:Carolyn Papworth, Minji Kim, Jackie Kim, McKathy Green, Rachel Swan

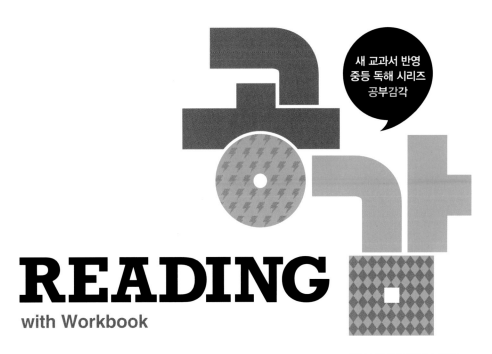

새 교과서 반영
중등 독해 시리즈
공부감각

공감

READING

with Workbook

넥서스영어교육연구소 지음

Level 3

NEXUS Edu

Reading Gong Gam helps you...

G

Get high scores

최신 개정 교과서에 수록된 창의, 나눔, 문화, 건강, 과학, 심리, 음식, 직업 등의 다양한 주제로 독해 지문을 구성하여 영어에 흥미를 가지게 함으로써 내신 성적 향상에 도움을 줍니다.

O

Obtain a wide vocabulary

풍부한 어휘 리스트를 제공, 기본적인 어휘 실력을 향상시켜 줍니다.

N

Nurture your English skills

최신 개정 교과서를 분석하여 만든 다양한 지문 및 문제로 독해의 기초를 튼튼히 다져 줍니다. 중등 과정에서 알아야 하는 풍부한 어휘를 제공함으로써 종합적인 영어 실력을 향상시켜 줍니다.

G

Get writing skills

서술형 평가 문제를 수록하고 서술형 대비 워크북을 따로 제공하여 새로운 교수 평가 방법에 대비할 수 있게 해 줍니다.

G

Get speaking skills

이미지맵을 통해 글의 요점과 구조, 흐름을 파악하고 그 정보를 이용하여 스스로 스토리텔링을 해 봄으로써 수행평가에 대비하고, 스피킹 능력을 향상시킬 수 있게 해 줍니다.

A

Acquire good English sense

풍부한 양의 영어 지문을 읽어 봄으로써 영어의 기본 감각을 익히고, 이미지맵을 통해 영어식 사고의 흐름을 파악할 수 있게 해 줍니다.

M

Master the essentials of reading

엄선된 지문과 문제, 풍부한 어휘, 다양한 배경지식 등을 통해 영어 이해의 필수 요소인 독해를 정복할 수 있게 해 줍니다.

Features

다양한 주제의 지문

최신 교과서에 수록된 창의, 나눔, 사회, 문화, 건강, 과학, 심리, 음식, 직업, 이슈 등의 주제를 이용하여 흥미롭고 유익한 지문으로 구성하였습니다.

객관식·서술형 문제

기본 독해 실력을 확인할 수 있는 내신 대비 유형의 객관식, 서술형 문제로 구성하였습니다.

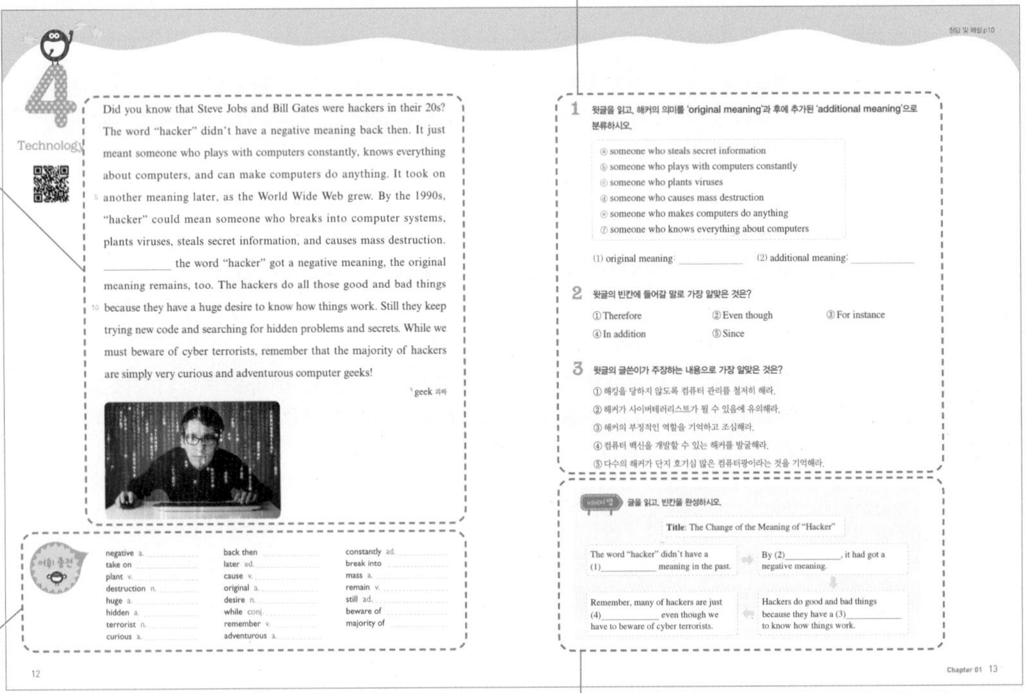

정답 및 해설 p.10

4 Technology

Did you know that Steve Jobs and Bill Gates were hackers in their 20s? The word "hacker" didn't have a negative meaning back then. It just meant someone who plays with computers constantly, knows everything about computers, and can make computers do anything. It took on another meaning later, as the World Wide Web grew. By the 1990s, "hacker" could mean someone who breaks into computer systems, plants viruses, steals secret information, and causes mass destruction. __________ the word "hacker" got a negative meaning, the original meaning remains, too. The hackers do all those good and bad things because they have a huge desire to know how things work. Still they keep trying new code and searching for hidden problems and secrets. While we must beware of cyber terrorists, remember that the majority of hackers are simply very curious and adventurous computer geeks!

* geek 괴짜

어휘 충전

negative a.	back then	constantly ad.
take on	later ad.	break into
plant v.	cause v.	mass a.
destruction n.	original a.	remain v.
huge a.	desire n.	still ad.
hidden a.	while conj.	beware of
terrorist n.	remember v.	majority of
curious a.	adventurous a.	

12

1 윗글을 읽고, 해커의 의미를 'original meaning'과 후에 추가된 'additional meaning'으로 분류하시오.

ⓐ someone who steals secret information
ⓑ someone who plays with computers constantly
ⓒ someone who plants viruses
ⓓ someone who causes mass destruction
ⓔ someone who makes computers do anything
ⓕ someone who knows everything about computers

(1) original meaning: __________ (2) additional meaning: __________

2 윗글의 빈칸에 들어갈 말로 가장 알맞은 것은?

① Therefore ② Even though ③ For instance
④ In addition ⑤ Since

3 윗글의 글쓴이가 주장하는 내용으로 가장 알맞은 것은?

① 해킹을 당하지 않도록 컴퓨터 관리를 철저히 해라.
② 해커가 사이버테러리스트가 될 수 있음에 유의해라.
③ 해커의 부정적인 역할을 기억하고 조심해라.
④ 컴퓨터 백신을 개발할 수 있는 해커를 발굴해라.
⑤ 다수의 해커가 단지 호기심 많은 컴퓨터광이라는 것을 기억해라.

이미지맵 글을 읽고, 빈칸을 완성하시오.

Title: The Change of the Meaning of "Hacker"

The word "hacker" didn't have a (1)__________ meaning in the past.

By (2)__________, it had got a negative meaning.

Hackers do good and bad things because they have a (3)__________ to know how things work.

Remember, many of hackers are just (4)__________ even though we have to beware of cyber terrorists.

Chapter 01 13

어휘 충전

독해의 기본은 어휘, 어휘 실력을 먼저 점검해 보고 독해 실력을 향상시키는 코너로 구성하였습니다.

이미지맵

독해 지문의 내용을 자연스럽게 스토리텔링할 수 있도록 단계별로 나누어 체계적으로 요약 정리하였습니다.

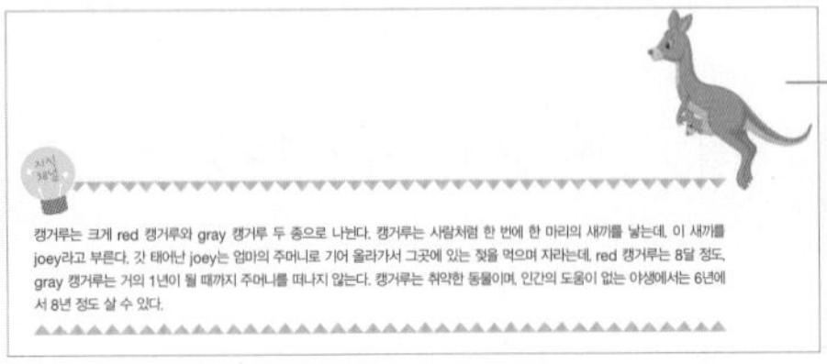

지식 채널

캥거루는 크게 red 캥거루와 gray 캥거루 두 종으로 나뉜다. 캥거루는 사람처럼 한 번에 한 마리의 새끼를 낳는데, 이 새끼를 joey라고 부른다. 갓 태어난 joey는 엄마의 주머니로 기어 올라가서 그곳에 있는 젖을 먹으며 자라는데, red 캥거루는 8달 정도, gray 캥거루는 거의 1년이 될 때까지 주머니를 떠나지 않는다. 캥거루는 취약한 동물이며, 인간의 도움이 없는 야생에서는 6년에서 8년 정도 살 수 있다.

지식 채널

독해 지문과 직접적으로 관련이 있는 배경지식뿐만 아니라, 독해 실력 향상의 기초가 되는 다양한 배경지식을 제공하고 있습니다.

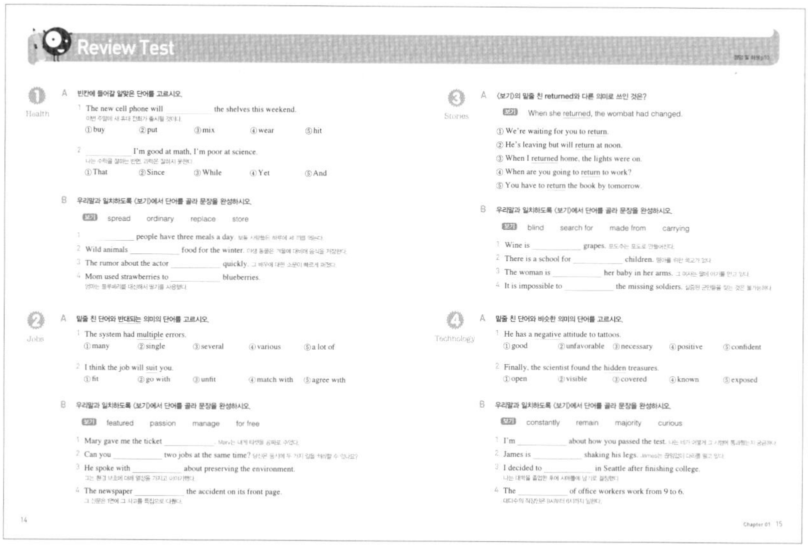

Review Test

영영풀이, 유의어, 반의어, 다의어 등을 묻는 문제와 빈칸 채우기 문제를 통해 어휘를 복습할 수 있도록 구성하였습니다.

어휘 재충전

어휘 충전 코너에 없는 우리말 뜻을 제공하여 어휘의 의미를 쉽게 확인할 수 있도록 구성하였습니다.

Workbook

서술형 대비 워크북을 통해 어휘 및 문장 배열, 쓰기 문제를 마스터 할 수 있도록 구성하였습니다.

Answers

어휘, 중요 구문 분석을 통해 정확하고 명쾌한 해설을 확인할 수 있습니다.

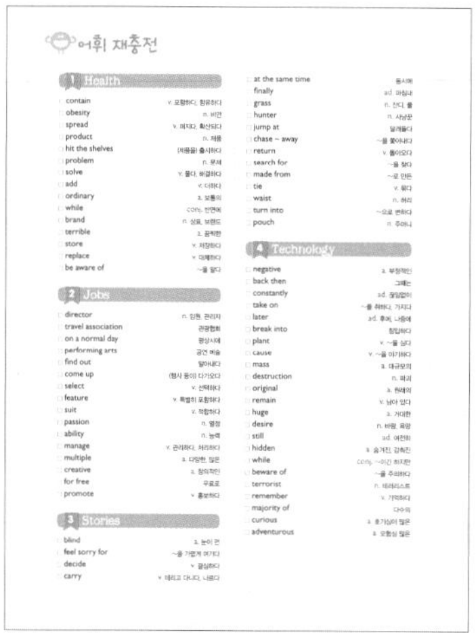

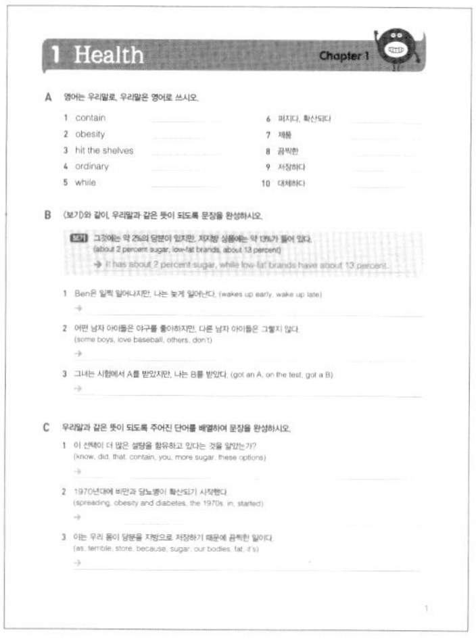

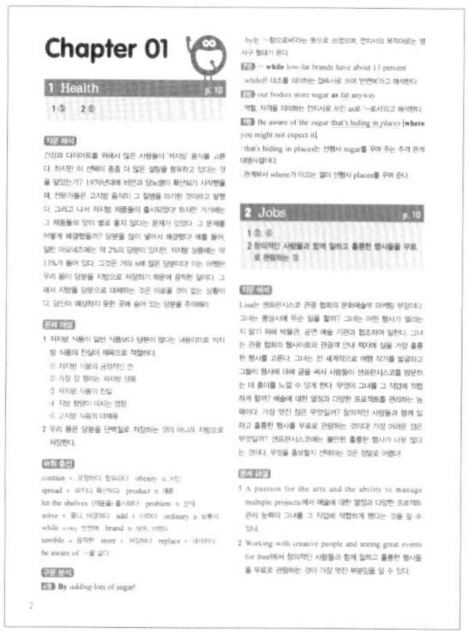

Contents

Chapter 01

Health

Jobs

Stories

Technology

1

Health

For health and dieting, many people choose "low-fat" food options. But did you know that these options often contain more sugar? When obesity and diabetes started spreading in the 1970s, experts said high-fat foods caused them. Then low-fat products hit the shelves! But there was a problem — they didn't taste so good. How was the problem solved? By adding lots of sugar! For instance, ordinary mayonnaise has about 2 percent sugar, while low-fat brands have about 13 percent. That's nearly six times more sugar! It's terrible because our bodies store sugar as fat anyway. So, replacing fat with sugar is a no-win situation. Be aware of the sugar that's hiding in places where you might not expect it.

*diabetes 당뇨병 *no-win situation 승산이 없는 상황

1 윗글의 제목으로 가장 알맞은 것은?

① The Positive Sides of Low-Fat Foods
② The Best-Selling Low-Fat Products
③ The Truth about Low-Fat Foods
④ The Effect of Fat Content
⑤ The Replacement of High-Fat Foods

2 윗글의 내용과 일치하지 않는 것은?

① 1970년대에 비만과 당뇨병이 확산되기 시작했다.
② 저지방 식품은 고지방 식품에 비해 맛이 없다.
③ 당분을 다량 함유함으로써 저지방 식품의 맛이 좋아졌다.
④ 저지방 마요네즈는 보통 마요네즈보다 당분 함유량이 6배 가량 높다.
⑤ 우리 몸은 당분을 단백질로 저장한다.

어휘 충전

contain v. ________	obesity n. ________	spread v. ________
product n. ________	hit the shelves ________	problem n. ________
solve v. ________	add v. ________	ordinary a. ________
while conj. ________	brand n. ________	terrible a. ________
store v. ________	replace v. ________	be aware of ________

2 Jobs

Lisa is the Director of Arts & Culture Marketing for the San Francisco Travel Association. What does she do on a normal day? She works with museums and performing arts centers to find out what events are coming up. She selects the best events to feature on their website and in visitor guides. She finds travel writers worldwide to write about the events and get people excited to visit San Francisco. What suits her to the job? A passion for the arts and the ability to manage multiple projects. What's the best part? Working with creative people and seeing great events for free! What's the hardest? San Francisco has too many great events to see. Choosing what to promote is really difficult!

1 **윗글에서 Lisa가 이 직업에 적합한 이유로 언급된 것을 두 개 고르시오.**

① 웹사이트 개발 능력 ② 예술에 대한 열정 ③ 문화 행사 관련 글쓰기
④ 다양한 프로젝트 관리 능력 ⑤ 다양한 여행 상품 개발 경력

서술형

2 **윗글에서 다음 질문에 대한 답을 찾아 우리말로 쓰시오.**

What is the best part of Lisa's job?

____

어휘 충전

director n. ______	travel association ______	on a normal day ______
performing arts ______	find out ______	come up ______
select v. ______	feature v. ______	suit v. ______
passion n. ______	ability n. ______	manage v. ______
multiple a. ______	creative a. ______	for free ______
promote v. ______		

3 Stories

Long ago, a mother kangaroo and her baby met an old, blind wombat. The mother felt sorry for the poor wombat, so she decided to help him, but (easy, was, to, not, her baby around, carry, it) and help the wombat at the same time. Finally, they found some delicious grass and started to eat. Suddenly, they saw a hunter! The mother kangaroo jumped at the hunter and chased him away. When she returned, the wombat had changed. He was *Byamee*, a great god. He had come as a wombat to search for the kindest animal on earth. He gave her a wonderful gift. It was an apron made from tree bark. As soon as he tied it around her waist, it turned into a pouch. Now she could carry her baby and always keep it safe.

*wombat 웜뱃(작은 곰같이 생긴 오스트레일리아 동물) *bark 나무껍질

어휘 충전

blind a. ______	feel sorry for ______	decide v. ______
carry v. ______	at the same time ______	finally ad. ______
grass n. ______	hunter n. ______	jump at ______
chase ~ away ______	return v. ______	search for ______
made from ______	tie v. ______	waist n. ______
turn into ______	pouch n. ______	

1 윗글의 내용을 나타낸 속담으로 가장 알맞은 것은?

① Honesty is the best policy.
② Out of sight, out of mind.
③ Easy come, easy go.
④ What you give is what you get.
⑤ Birds of a feather flock together.

2 윗글의 내용에 따라 (A) ~ (D)를 일어난 순서대로 배열한 것은?

(A) The wombat changed into *Byamee*, a great god.
(B) The mother kangaroo chased a hunter away.
(C) The mother kangaroo got a gift from *Byamee*.
(D) A mother kangaroo met a poor wombat.

① (A) – (B) – (C) – (D)
② (A) – (C) – (D) – (B)
③ (B) – (A) – (D) – (C)
④ (D) – (A) – (B) – (C)
⑤ (D) – (B) – (A) – (C)

서술형

3 윗글의 ( ) 안에 주어진 단어를 바르게 배열하여 문장을 완성하시오.

___

지식 채널

캥거루는 크게 red 캥거루와 gray 캥거루 두 종으로 나뉜다. 캥거루는 사람처럼 한 번에 한 마리의 새끼를 낳는데, 이 새끼를 joey라고 부른다. 갓 태어난 joey는 엄마의 주머니로 기어 올라가서 그곳에 있는 젖을 먹으며 자라는데, red 캥거루는 8달 정도, gray 캥거루는 거의 1년이 될 때까지 주머니를 떠나지 않는다. 캥거루는 취약한 동물이며, 인간의 도움이 없는 야생에서는 6년에서 8년 정도 살 수 있다.

4 Technology

Did you know that Steve Jobs and Bill Gates were hackers in their 20s? The word "hacker" didn't have a negative meaning back then. It just meant someone who plays with computers constantly, knows everything about computers, and can make computers do anything. It took on another meaning later, as the World Wide Web grew. By the 1990s, "hacker" could mean someone who breaks into computer systems, plants viruses, steals secret information, and causes mass destruction. ___________ the word "hacker" got a negative meaning, the original meaning remains, too. The hackers do all those good and bad things because they have a huge desire to know how things work. Still they keep trying new code and searching for hidden problems and secrets. While we must beware of cyber terrorists, remember that the majority of hackers are simply very curious and adventurous computer geeks!

*geek 괴짜

어휘 충전

negative a. ________	back then ________	constantly ad. ________
take on ________	later ad. ________	break into ________
plant v. ________	cause v. ________	mass a. ________
destruction n. ________	original a. ________	remain v. ________
huge a. ________	desire n. ________	still ad. ________
hidden a. ________	while conj. ________	beware of ________
terrorist n. ________	remember v. ________	majority of ________
curious a. ________	adventurous a. ________	

1 윗글을 읽고, 해커의 의미를 'original meaning'과 후에 추가된 'additional meaning'으로 분류하시오.

ⓐ someone who steals secret information
ⓑ someone who plays with computers constantly
ⓒ someone who plants viruses
ⓓ someone who causes mass destruction
ⓔ someone who makes computers do anything
ⓕ someone who knows everything about computers

(1) original meaning: ____________ (2) additional meaning: ____________

2 윗글의 빈칸에 들어갈 말로 가장 알맞은 것은?

① Therefore ② Even though ③ For instance
④ In addition ⑤ Since

3 윗글의 글쓴이가 주장하는 내용으로 가장 알맞은 것은?

① 해킹을 당하지 않도록 컴퓨터 관리를 철저히 해라.
② 해커가 사이버테러리스트가 될 수 있음에 유의해라.
③ 해커의 부정적인 역할을 기억하고 조심해라.
④ 컴퓨터 백신을 개발할 수 있는 해커를 발굴해라.
⑤ 다수의 해커가 단지 호기심 많은 컴퓨터광이라는 것을 기억해라.

이미지 맵 글을 읽고, 빈칸을 완성하시오.

Title: The Change of the Meaning of "Hacker"

The word "hacker" didn't have a (1)____________ meaning in the past.

By (2)____________, it had got a negative meaning.

Hackers do good and bad things because they have a (3)____________ to know how things work.

Remember, many of hackers are just (4)____________ even though we have to beware of cyber terrorists.

Review Test

1 Health

A 빈칸에 들어갈 알맞은 단어를 고르시오.

1 The new cell phone will ____________ the shelves this weekend.
이번 주말에 새 휴대 전화가 출시될 것이다.
① buy ② put ③ mix ④ wear ⑤ hit

2 ____________ I'm good at math, I'm poor at science.
나는 수학을 잘하는 반면, 과학은 잘하지 못한다.
① That ② Since ③ While ④ Yet ⑤ And

B 우리말과 일치하도록 〈보기〉에서 단어를 골라 문장을 완성하시오.

보기 spread ordinary replace store

1 ____________ people have three meals a day. 보통 사람들은 하루에 세 끼를 먹는다.

2 Wild animals ____________ food for the winter. 야생 동물은 겨울에 대비해 음식을 저장한다.

3 The rumor about the actor ____________ quickly. 그 배우에 대한 소문이 빠르게 퍼졌다.

4 Mom used strawberries to ____________ blueberries.
엄마는 블루베리를 대신해서 딸기를 사용했다.

2 Jobs

A 밑줄 친 단어와 반대되는 의미의 단어를 고르시오.

1 The system had multiple errors.
① many ② single ③ several ④ various ⑤ a lot of

2 I think the job will suit you.
① fit ② go with ③ unfit ④ match with ⑤ agree with

B 우리말과 일치하도록 〈보기〉에서 단어를 골라 문장을 완성하시오.

보기 featured passion manage for free

1 Mary gave me the ticket ____________. Mary는 내게 티켓을 공짜로 주었다.

2 Can you ____________ two jobs at the same time? 당신은 동시에 두 가지 일을 처리할 수 있나요?

3 He spoke with ____________ about preserving the environment.
그는 환경 보호에 대해 열정을 가지고 이야기했다.

4 The newspaper ____________ the accident on its front page.
그 신문은 1면에 그 사고를 특집으로 다뤘다.

3 Stories

A 〈보기〉의 밑줄 친 returned와 다른 의미로 쓰인 것은?

보기 When she returned, the wombat had changed.

① We're waiting for you to return.
② He's leaving but will return at noon.
③ When I returned home, the lights were on.
④ When are you going to return to work?
⑤ You have to return the book by tomorrow.

B 우리말과 일치하도록 〈보기〉에서 단어를 골라 문장을 완성하시오.

보기 blind search for made from carrying

1 Wine is ____________ grapes. 포도주는 포도로 만들어진다.
2 There is a school for ____________ children. 맹아를 위한 학교가 있다.
3 The woman is ____________ her baby in her arms. 그 여자는 팔에 아기를 안고 있다.
4 It is impossible to ____________ the missing soldiers. 실종된 군인들을 찾는 것은 불가능하다.

4 Technology

A 밑줄 친 단어와 비슷한 의미의 단어를 고르시오.

1 He has a negative attitude to tattoos.
① good ② unfavorable ③ necessary ④ positive ⑤ confident

2 Finally, the scientist found the hidden treasures.
① open ② visible ③ covered ④ known ⑤ exposed

B 우리말과 일치하도록 〈보기〉에서 단어를 골라 문장을 완성하시오.

보기 constantly remain majority curious

1 I'm ____________ about how you passed the test. 나는 네가 어떻게 그 시험에 통과했는지 궁금하다.
2 James is ____________ shaking his legs. James는 끊임없이 다리를 떨고 있다.
3 I decided to ____________ in Seattle after finishing college.
나는 대학을 졸업한 후에 시애틀에 남기로 결정했다.
4 The ____________ of office workers work from 9 to 6.
대다수의 직장인은 9시부터 6시까지 일한다.

어휘 재충전

1 Health

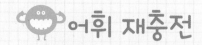

- □ contain v. 포함하다, 함유하다
- □ obesity n. 비만
- □ spread v. 퍼지다, 확산되다
- □ product n. 제품
- □ hit the shelves (제품을) 출시하다
- □ problem n. 문제
- □ solve v. 풀다, 해결하다
- □ add v. 더하다
- □ ordinary a. 보통의
- □ while conj. 반면에
- □ brand n. 상표, 브랜드
- □ terrible a. 끔찍한
- □ store v. 저장하다
- □ replace v. 대체하다
- □ be aware of ~을 알다, 알아차리다

2 Jobs

- □ director n. 임원, 관리자
- □ travel association 관광협회
- □ on a normal day 평상시에
- □ performing arts 공연 예술
- □ find out 알아내다
- □ come up (행사 등이) 다가오다
- □ select v. 선택하다
- □ feature v. 특별히 포함하다
- □ suit v. 적합하다
- □ passion n. 열정
- □ ability n. 능력
- □ manage v. 관리하다, 처리하다
- □ multiple a. 다양한, 많은
- □ creative a. 창의적인
- □ for free 무료로
- □ promote v. 홍보하다

3 Stories

- □ blind a. 눈이 먼
- □ feel sorry for ~을 가엾게 여기다
- □ decide v. 결심하다
- □ carry v. 데리고 다니다, 나르다
- □ at the same time 동시에
- □ finally ad. 마침내
- □ grass n. 잔디, 풀
- □ hunter n. 사냥꾼
- □ jump at 달려들다
- □ chase ~ away ~을 쫓아내다
- □ return v. 돌아오다
- □ search for ~을 찾다
- □ made from ~로 만든
- □ tie v. 묶다
- □ waist n. 허리
- □ turn into ~으로 변하다
- □ pouch n. 주머니

4 Technology

- □ negative a. 부정적인
- □ back then 그때는
- □ constantly ad. 끊임없이
- □ take on ~를 취하다, 가지다
- □ later ad. 후에, 나중에
- □ break into 침입하다
- □ plant v. ~을 심다
- □ cause v. ~을 야기하다
- □ mass a. 대규모의
- □ destruction n. 파괴
- □ original a. 원래의
- □ remain v. 남아 있다
- □ huge a. 거대한
- □ desire n. 바람, 욕망
- □ still ad. 여전히
- □ hidden a. 숨겨진, 감춰진
- □ while conj. ~이긴 하지만
- □ beware of ~을 주의하다
- □ terrorist n. 테러리스트
- □ remember v. 기억하다
- □ majority of 다수의
- □ curious a. 호기심이 많은
- □ adventurous a. 모험심 많은

Chapter 02

Culture

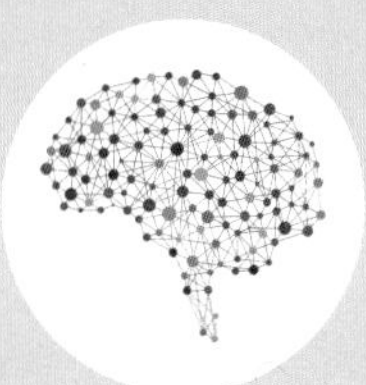

Psychology

Information

Education

1

Culture

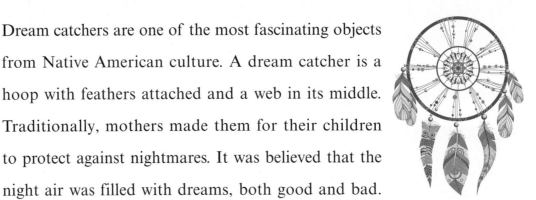

Dream catchers are one of the most fascinating objects from Native American culture. A dream catcher is a hoop with feathers attached and a web in its middle. Traditionally, mothers made them for their children to protect against nightmares. It was believed that the night air was filled with dreams, both good and bad. A dream catcher hung above a child's bed would catch the good dreams. They would slip through the holes in the web and slide down the feathers to the child asleep below. Bad dreams could not pass through. Instead, they got trapped in the web and died in the first rays of the morning sun.

1 **Dream Catcher에 관한 윗글의 내용과 일치하지 않는 것은?**

① 아메리카 원주민 문화에서 유래되었다.

② 그물과 깃털로 장식이 되어 있는 고리이다.

③ 나쁜 꿈으로부터 아이들을 지켜준다.

④ 나쁜 꿈은 평생 그물 안에 갇히게 된다.

⑤ 아이들의 침대 위에 달아 놓는다.

서술형

2 **윗글의 내용과 일치하도록 빈칸에 알맞은 말을 본문에서 찾아 쓰시오.**

A dream catcher ___________ above the bed is used to ___________ sleeping children from ___________.

어휘 충전

fascinating a. ___________	object n. ___________	Native American ___________
culture n. ___________	hoop n. ___________	feather n. ___________
attached a. ___________	web n. ___________	traditionally ad. ___________
protect v. ___________	nightmare n. ___________	be filled with ___________
hang v. ___________	slip through ___________	hole n. ___________
slide down ___________	trap v. ___________	ray n. ___________

2 Psychology

_______________ Then, just try these three simple tips. First, keep your desk a little messy. In studies published in *Psychological Science*, students who worked at slightly messy desks produced better ideas than students who worked at very tidy desks. Second, make blue the main color that you look at. In a University of British Columbia study, 600 students were tested for creative problem-solving ability. The blue-background students produced twice as many creative ideas as the red-background students. Third, turn down the lights. A study published in the *Journal of Environmental Psychology* found that students who worked in a dimly lit room (150 lux) solved more problems than those in a brightly lit room (1,500 lux).

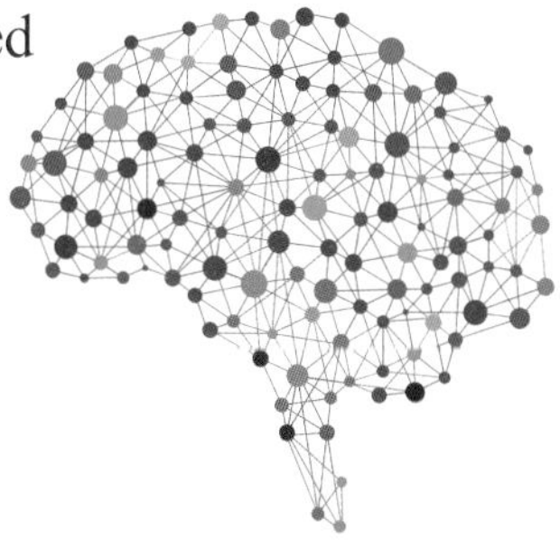

1 윗글의 빈칸에 들어갈 말로 가장 알맞은 것은?

① Would you like to decorate your house?
② Would you like to boost your creativity?
③ Would you like to get good grades in science?
④ Would you like to have lots of common sense?
⑤ Would you like to make your classroom comfortable?

2 윗글의 밑줄 친 simple tips에 대한 내용으로 가장 알맞은 것은?

① 빨간색을 많이 보아라.
② 방의 불빛을 어둑하게 만들어라.
③ 책상을 깨끗하게 정돈해라.
④ 조용한 음악을 틀어 놓아라.
⑤ 방의 조명을 1,500 lux 정도로 유지해라.

어휘 충전

messy a.	publish v.	psychological a.
slightly ad.	tidy a.	main a.
problem-solving	ability n.	produce v.
turn down	dimly lit a.	brightly lit a.
boost v.	creativity n.	common sense

3 Information

Who wants to sit in the middle back seat in a car? (①) The answer is nobody, mostly. (②) That's why the youngest person in the car almost always sits there. (③) Well, here's some interesting news. (④) The most unpopular seat in the car also happens to be the safest. (⑤) National Highway Safety Administration studied motor vehicle crashes and found that the back seats are 60 to 85 percent safer than the front seats. What's more, passengers in the middle back seat are 25 percent safer than those in the side seats. This is because the middle seat has a bigger "crush zone." A car's crush zone is the area of the car designed to collapse in order to absorb some of the impact from a crash.

*crush zone 자동차가 충돌했을 때 승객의 충격을 완화시켜 주기 위해 찌그러지는 부분

1 윗글의 주제로 가장 알맞은 것은?

① What is the safest seat in a car?
② Why should we wear seat belts?
③ What is the importance of child seats?
④ What is the best way to learn how to drive?
⑤ How can we reduce damage from car crashes?

어휘 충전

back seat ______	mostly ad. ______	unpopular a. ______
happen v. ______	motor vehicle ______	crash n. ______ v. ______
what's more ______	passenger n. ______	collapse v. ______
in order to ______	absorb v. ______	impact n. ______
uncool a. ______	uncomfortable a. ______	

2 윗글의 내용과 일치하지 않는 것은?

① 자동차의 가운데 뒷좌석은 가장 인기 없는 자리이다.

② 자동차의 뒷좌석이 앞 좌석보다 25퍼센트 더 안전하다.

③ 뒷좌석의 측면 자리보다 가운데 자리가 더 안전하다.

④ 가운데 뒷좌석은 넓은 크러시 존을 가지고 있다.

⑤ 크러시 존은 자동차가 충돌할 때 충격을 흡수하며 무너진다.

3 글의 흐름으로 보아 주어진 문장이 들어갈 위치로 가장 알맞은 곳은?

Teenagers think it's uncool, and adults think it's uncomfortable.

① ② ③ ④ ⑤

지식 채널

올바른 안전벨트 착용법

❶ **안전벨트 없이는 에어백도 위험하다.**
– 안전벨트 미착용 상태에서 에어백이 터지면 목 부분과 얼굴에 치명상을 입을 수 있다.

❷ **잘못 맨 안전벨트는 오히려 생명을 위협한다.**
– 어깨 안전띠를 겨드랑이 아래로 착용하면 갈비뼈를 다칠 수 있다.

❸ **안전벨트는 4~5년마다 교체해야 한다.**
– 4~5년이 지난 안전벨트는 제구실을 하지 못하기 때문에 반드시 교체해야 한다.

❺ **사고가 난 차량의 안전벨트는 반드시 교체해야 한다.**
– 사고 후의 안전벨트는 더 이상 사용할 수 없으므로 반드시 교체해야 한다.

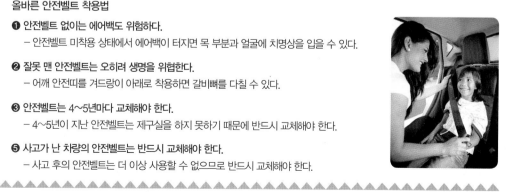

4 Education

Cyber bullying is using electronic communication to be cruel to someone. It can be done by texting, chatting, instant messaging, emailing, and commenting on social media sites. Basically, it's bullying that happens online. It's believed to be more harmful than old-fashioned bullying. The difference is that cyber bullying can happen anytime and anywhere. It can reach a huge audience, and the bullies can easily remain anonymous. <u>This</u> makes it much harder on its victims. They often feel alone and overwhelmed by the feeling that "everyone knows" about the bullying. So, what can we do to stop it? Experts say kids should speak out more. Tell parents and trusted teachers about it. And contact the website or service provider. Most Internet companies take cyber bullying very seriously and are the best to stop it. Let's stop cyber bullying!

*social media sites 사람들이 정보를 공유하고 교류하는 웹사이트

1 사이버 폭력에 관한 윗글의 내용과 일치하지 <u>않는</u> 것은?

① 기본적으로 온라인상에서 행해진다.

② 채팅, 문자메시지, 이메일로 행해질 수 있다.

③ 대부분의 인터넷 회사는 아직은 사이버 폭력에 대해 대처가 미흡하다.

④ 이전의 방식과 다른 점은 언제 어디서든 일어날 수 있다는 것이다.

⑤ 수많은 사람들에게 알려질 수 있다.

어휘 충전

bully v. ______ n. ______	electronic a. ______	cruel a. ______
text v. ______	chat v. ______	instant message v. ______
comment v. ______	basically ad. ______	harmful a. ______
old-fashioned a. ______	audience n. ______	anonymous a. ______
victim n. ______	overwhelmed a. ______	speak out ______
contact v. ______	provider n. ______	seriously ad. ______

2 윗글에서 사이버 폭력을 막을 수 있는 방법으로 언급되지 않은 것은?

① 부모님께 말씀드린다.

② 경찰에 바로 신고한다.

③ 좀 더 공개적으로 말한다.

④ 신뢰할 수 있는 선생님을 찾아간다.

⑤ 웹사이트나 서비스 제공자에 연락한다.

서술형

3 윗글의 밑줄 친 This가 의미하는 것을 찾아 우리말로 쓰시오.

____

이미지 맵 글을 읽고, 빈칸을 완성하시오.

Title: Cyber Bullying

It is using (1)_______________ communication to be cruel to someone.

It happens (2)_______________.
It can happen anytime and anywhere.

Victims feel overwhelmed by the feeling that "(3)_______________" about the bullying.

Tell parents and trusted teachers about it. And (4)_______________ the website or service provider.

Review Test

1 Culture

A 빈칸에 들어갈 알맞은 단어를 고르시오.

1 Every country has its own unique ___________ and traditions.
각 나라는 그 나라의 고유한 문화와 전통을 가지고 있다.
① picture ② culture ③ experience ④ charge ⑤ population

2 The dress is as light as a(n) ___________. 그 드레스는 깃털처럼 가볍다.
① bottle ② glass ③ object ④ feather ⑤ iron

B 우리말과 일치하도록 〈보기〉에서 단어를 골라 문장을 완성하시오.

보기 hung trapped protect was filled with

1 The bus ___________ young students. 버스는 어린 학생들로 가득 차 있었다.
2 The coat ___________ in the closet is mine. 옷장 안에 걸려 있는 코트는 내 것이다.
3 They were ___________ in the mountain for ten hours.
그들은 10시간 동안 산속에 갇혀 있었다.
4 I usually wear sunglasses to ___________ my eyes.
나는 평소에 눈을 보호하기 위해 선글라스를 쓴다.

2 Psychology

A 밑줄 친 단어와 반대되는 의미의 단어를 고르시오.

1 My mom made me clean my messy room.
① dirty ② unclean ③ noisy ④ cheap ⑤ tidy

2 Brad Pitt played the main role in this movie.
① primary ② minor ③ major ④ important ⑤ prime

B 우리말과 일치하도록 〈보기〉에서 단어를 골라 문장을 완성하시오.

보기 creativity slightly ability turn down

1 I asked him to ___________ the television. 나는 그에게 텔레비전 소리를 줄여 달라고 부탁했다.
2 My teacher helped me develop ___________. 선생님은 내가 창의력을 기르는 데 도움을 주셨다.
3 It's ___________ different from what I said. 그것은 내가 말했던 것과 약간 다르다.
4 She has a special ___________ to persuade others.
그녀는 다른 사람들을 설득하는 특별한 능력이 있다.

정답 및 해설 p6

3 Information

A 다음 중 단어의 정의가 잘못된 것은?

① answer: to say something back as a reply
② unpopular: not liked by people
③ interesting: attracting your attention
④ back: the side that you look at first
⑤ zone: a region or an area

B 우리말과 일치하도록 〈보기〉에서 단어를 골라 문장을 완성하시오.

보기 impact absorb uncomfortable passengers

1 The airplane can carry about 300 ____________. 그 비행기는 약 300명의 승객을 수송할 수 있다.
2 The new suit made him feel ____________. 새 정장은 그를 불편하게 했다.
3 This book had a great ____________ on me. 이 책은 나에게 엄청난 영향을 주었다.
4 These running shoes are designed to ____________ shock.
이 운동화는 충격을 흡수하도록 디자인되었다.

4 Education

A 밑줄 친 단어와 비슷한 의미의 단어를 고르시오.

1 Stress can be harmful to your health.
① dangerous ② beneficial ③ helpful ④ useful ⑤ positive

2 She didn't want to comment on that.
① listen ② mention ③ communicate ④ submit ⑤ discover

B 우리말과 일치하도록 〈보기〉에서 단어를 골라 문장을 완성하시오.

보기 seriously contact audience victim

1 If you have any questions, please ____________ us. 궁금한 점이 있으면, 우리에게 연락 주세요.
2 The ____________ gave a big hand to the singer. 관객은 그 가수에게 박수갈채를 보냈다.
3 She became a(n) ____________ of Internet crime. 그녀는 인터넷 범죄의 피해자가 되었다.
4 I want him not to take it too ____________. 나는 그가 그것을 너무 심각하게 받아들이지 않길 원한다.

어휘 재충전

1 Culture

□ fascinating	a. 대단히 흥미로운
□ object	n. 물건, 물체
□ Native American	북미 원주민(의)
□ culture	n. 문화
□ hoop	n. 고리
□ feather	n. 깃털
□ attached	a. 부착된
□ web	n. 망, 거미줄
□ traditionally	ad. 전통적으로
□ protect	v. 보호하다
□ nightmare	n. 악몽
□ be filled with	~로 가득 차다
□ hang	v. 걸다, 매달다
□ slip through	~을 통과하다
□ hole	n. 구멍
□ slide down	미끄러져 내려가다
□ trap	v. 가두다, 끼이다
□ ray	n. 광선

2 Psychology

□ messy	a. 지저분한
□ publish	v. 게재하다, 싣다
□ psychological	a. 심리의
□ slightly	ad. 약간, 조금
□ tidy	a. 깔끔한, 정돈된
□ main	a. 주된
□ problem-solving	문제 해결
□ ability	n. 능력
□ produce	v. 생산하다
□ turn down	낮추다
□ dimly lit	a. 불빛이 어둑한
□ brightly lit	a. 불빛이 밝은
□ boost	v. 북돋우다, 높이다
□ creativity	n. 창의력
□ common sense	상식

3 Information

□ back seat	(차량의) 뒷좌석
□ mostly	ad. 주로, 대부분
□ unpopular	a. 인기 없는
□ happen	v. 우연히 ~하다, 발생하다
□ motor vehicle	자동차
□ crash	n. 사고 v. 충돌하다
□ what's more	더구나
□ passenger	n. 승객
□ collapse	v. 무너지다, 붕괴하다
□ in order to	~하기 위하여
□ absorb	v. 흡수하다
□ impact	n. 충격, 영향
□ uncool	a. 멋지지 않은
□ uncomfortable	a. 불편한

4 Education

□ bully	v. 괴롭히다 n. 약자를 괴롭히는 사람
□ electronic	a. 전자의
□ cruel	a. 잔인한
□ text	v. 문자를 보내다
□ chat	v. (인터넷으로) 대화하다
□ instant message	v. (인터넷으로) 메시지를 보내다
□ comment	v. 논평하다
□ basically	ad. 기본적으로
□ harmful	a. 해로운
□ old-fashioned	a. 구식의
□ audience	n. 청중, 관중
□ anonymous	a. 익명인
□ victim	n. 피해자, 희생자
□ overwhelmed	a. 압도된
□ speak out	공개적으로 말하다
□ contact	v. 연락하다
□ provider	n. 공급자
□ seriously	ad. 심각하게

Chapter

03

Stories

Origin

Law

Health

1 Stories

In England in the late 1500s, only rich people ate sugar, since it was rare and very expensive. The English Queen, Elizabeth I, loved sugary foods and sweetened drinks. She consumed so much sugar that her teeth quickly decayed. Some of them fell out, and the others became black. Soon enough, black teeth became a great fashion among women in England. They painted their teeth black so that other people might think, "____________________!" A similar fashion existed in ancient Japan. Men and women of the nobility painted their teeth black so that they would not look like slaves, since slaves ate no sugar and had nice white teeth!

1 고대 일본 귀족들 사이에서 검은 치아가 유행했던 이유로 가장 알맞은 것은?

① 당시에는 치약이 없었기 때문에
② 노예처럼 보이고 싶지 않았기 때문에
③ 사람들이 단 음식을 많이 먹었기 때문에
④ 여왕이 검은 치아를 가지고 있었기 때문에
⑤ 귀족들은 단 음식을 먹을 수 없었기 때문에

2 윗글의 빈칸에 들어갈 말로 가장 알맞은 것은?

① She must be a tidy person
② She must be very poor
③ She must be very sick
④ She must brush her teeth
⑤ She must be very wealthy

어휘 충전

rare a. ______	expensive a. ______	sugary a. ______
sweetened a. ______	drink n. ______	consume v. ______
decay v. ______	fall out ______	fashion n. ______
similar a. ______	exist v. ______	ancient a. ______
nobility n. ______	slave n. ______	tidy a. ______
wealthy a. ______		

2 Origin

Five thousand years ago, Egyptian people used a counting system based on the number 10. The Egyptians used special symbols to represent units. A vertical line represented a single unit or 1. An upside-down U shape was 10, a coiled rope 100, a lotus plant 1,000, a finger pointed upwards 10,000, a frog 100,000, and a god with arms raised was 1,000,000. Actually, one million also meant "any enormous number" because it seemed so huge to the ancient Egyptians. The system was simple to understand and easy to use for addition and subtraction. On the other hand, it made more advanced calculations nearly impossible. What's amazing is that the Egyptians accomplished wonders, such as the Great Pyramids, using such a simple form of math.

*lotus 연꽃

1 고대 이집트의 계산 체계에 관한 설명으로 가장 알맞은 것은?

① 1을 기본으로 하는 계산 체계이다.
② 위를 가리키는 손가락은 숫자 천을 의미한다.
③ 백만은 고대 이집트인들에게는 엄청난 숫자였다.
④ 이해하기 쉬웠지만, 덧셈과 뺄셈으로 사용하긴 어려웠다.
⑤ 단순한 계산 체계였지만 복잡한 계산도 할 수 있었다.

2 다음 중 고대 이집트 숫자를 이용하여 수를 나타낸 것이 잘못 연결된 것은?

① 50 – 
② 200 – 
③ 1,100 – 
④ 1,000,000 – 
⑤ 300,000 – 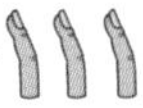

어휘 충전

counting n. ____	based on ____	symbol n. ____
represent v. ____	vertical a. ____	upside-down a. ____
coiled a. ____	upwards ad. ____	enormous a. ____
addition n. ____	subtraction n. ____	advanced a. ____
calculation n. ____	accomplish v. ____	wonder n. ____

3

Law

Is the law always reasonable and understandable? Of course it isn't! Actually, there are some truly odd laws in the world. Here are some samples.

In Switzerland, you should think before you poop! Flushing the toilet in apartments is illegal after 10 pm. The government says the noise is anti-social. But what about the smell?

In Denmark, check under your car before you start the engine. Why? You have to make sure no children are under there. But if you forget to look and you get arrested, don't worry. It's not a crime in Denmark to escape from jail!

If you go on a safari in Kenya, don't go nude! Although Kenyan citizens can take off their clothes in national parks, (do so, for foreigners, illegal, it's, to). We can think of many other reasons why they shouldn't!

*safari 아프리카 등지에서 야생 동물을 구경하거나 사냥을 하는 여행

어휘 충전

law n. ______	reasonable a. ______	understandable a. ______
odd a. ______	Switzerland n. ______	poop v. ______
flush v. ______	illegal a. ______	government n. ______
anti-social a. ______	Denmark n. ______	start an engine ______
make sure ______	get arrested ______	crime n. ______
escape from ______	jail n. ______	go v. ______
nude a. ______	take off ______	national a. ______
foreigner n. ______	international a. ______	strict a. ______
tradition n. ______	weird a. ______	prevent v. ______

1 윗글의 제목으로 가장 알맞은 것은?

① New International Laws

② Why We Need Strict Laws

③ The Old Traditions in Europe

④ Weird Laws around the World

⑤ The Best Way to Prevent Crime

2 윗글에 따르면 다음 중 법을 어긴 사람은 누구인가?

① 덴마크에 사는 Rachael은 감옥에서 탈출했다.

② 스위스에 사는 Emily는 밤 10시 이후에 샤워를 했다.

③ 케냐에 사는 Samuel은 공원에 옷을 입지 않고 나갔다.

④ 스위스에 사는 Oscar는 아침에 화장실 변기 물을 내렸다.

⑤ 덴마크에 사는 Peter는 자동차 아래를 확인하지 않고 시동을 걸었다.

서술형

3 윗글의 ( ) 안에 주어진 단어를 바르게 배열하여 문장을 완성하시오.

____

지식 채널

각 나라마다 신기한 법이 있다.

- **태국** – 윗도리를 입지 않고 오토바이나 자동차를 운전하는 것은 불법이다.
- **싱가포르** – 껌을 씹거나 파는 것은 불법이다.
- **세인트루이스(미국)** – 길거리에서 술을 마시는 것은 불법이다.
- **덴마크** – 레스토랑에서 식사를 하고 포만감이 느껴지지 않으면 음식값을 지불하지 않아도 된다.
- **세인트루시아** – 일반인이 군복과 같은 무늬의 옷을 입는 것은 불법이다.

4 Health

Everyone says "Exercise is good for you." Nothing could be truer! At least 30 minutes of fairly strenuous exercise every day is what we should all aim for. Here are four good reasons why:

- _____(A)_____ When you push your heart rate up for 30 minutes or more, your body produces "feel-good" chemicals. You may even experience a feeling of bliss or the "runner's high."
- _____(B)_____ Exercising burns calories and builds muscles. Everyone wants to be a healthy weight. And a fit, muscular body is a lovely thing.
- _____(C)_____ Lack of exercise leads to diabetes, high blood pressure, and obesity. They used to be adult problems, but they're becoming more common in teens.
- _____(D)_____ Walking, running, and jumping build strong bones. Strong bones guarantee a happy old age.

*runner's high 격렬한 운동 후에 오는 행복감 *diabetes 당뇨병

어휘 충전

fairly ad. ______	strenuous ______	aim for ______
push A up ______	heart rate ______	produce v. ______
feel-good a. ______	chemical n. ______	bliss n. ______
burn v. ______	muscle n. ______	fit a. ______
muscular a. ______	disease n. ______	lack of ______
lead to ______	high blood pressure ______	obesity n. ______
common a. ______	age v. ______ n. ______	guarantee v. ______

1 윗글의 빈칸 (A) ~ (D)에 알맞은 말을 〈보기〉에서 고르시오.

보기
① It helps you age well.
② It's good for your mood.
③ It makes you better looking.
④ It protects against disease.

(A) __________ (B) __________ (C) __________ (D) __________

2 윗글에서 운동이 우리에게 좋은 이유로 언급된 것이 아닌 것은?

① 날씬하고 건강한 몸을 만들어 준다.
② 기분을 좋게 하는 화학 물질을 만들어 준다.
③ 튼튼한 뼈를 가질 수 있도록 도와준다.
④ 성인병으로부터 지켜 준다.
⑤ 피부를 건강하게 유지시켜 준다.

서술형
3 윗글에서 운동 부족이 일으키는 증상 세 가지를 찾아 영어로 쓰시오.

____

이미지 맵 글을 읽고, 빈칸을 완성하시오.

Title: Exercise is (1)__________ for you

- Exercise helps your body produce "(2)__________" chemicals.
- Exercise helps you maintain a healthy weight and have a (3)__________, muscular body.
- Exercise helps you prevent adult diseases.
- Exercise helps you build strong (4)__________ for your old age.

Review Test

1 Stories

A 빈칸에 들어갈 알맞은 단어를 고르시오.

1 He was treated like a __________ and had to do all those chores.
그는 노예처럼 대우를 받았고, 온갖 잡일을 해야 했다.
① boss ② king ③ slave ④ nobility ⑤ foreigner

2 This is a(n) __________ book that I couldn't find anywhere.
이것은 내가 어디에서도 발견할 수 없었던 희귀한 책이다.
① ordinary ② normal ③ general ④ rare ⑤ common

B 우리말과 일치하도록 〈보기〉에서 단어를 골라 문장을 완성하시오.

보기 similar wealthy consume exist

1 Emma was brought up in a(n) __________ family. Emma는 부유한 가정에서 자랐다.
2 He doesn't believe that aliens __________. 그는 외계인이 존재한다고 믿지 않는다.
3 Billy and I have __________ interests. Billy와 나는 비슷한 관심사를 가지고 있다.
4 Americans __________ a large amount of potato chips.
미국인들은 엄청난 양의 감자 칩을 소비한다.

2 Origin

A 밑줄 친 단어와 반대되는 의미의 단어를 고르시오.

1 We need more people to accomplish this project.
① determine ② fail ③ succeed ④ achieve ⑤ improve

2 She spent an enormous amount of money buying that car.
① huge ② massive ③ large ④ vast ⑤ tiny

B 우리말과 일치하도록 〈보기〉에서 단어를 골라 문장을 완성하시오.

보기 advanced based on symbols represent

1 This movie is __________ historical fact. 이 영화는 역사적 사실에 기초하고 있다.
2 Green is usually used to __________ nature. 초록색은 보통 자연을 나타내기 위해 쓰인다.
3 They introduced us to __________ technology. 그들은 우리에게 진보된 기술을 소개해 주었다.
4 The Statue of Liberty is one of the __________ of New York.
자유의 여신상은 뉴욕의 상징 중 하나이다.

3 Law

A 〈보기〉의 밑줄 친 take off와 같은 의미로 쓰인 것은?

보기 Kenyan citizens can take off their clothes in national parks.

① The plane couldn't take off on time because of heavy fog.
② Could you take off your shoes before you get in?
③ They are ready to take off right away.
④ She didn't take off even a day for a month.
⑤ He asked me to take off ten percent.

B 우리말과 일치하도록 〈보기〉에서 단어를 골라 문장을 완성하시오.

보기 escape flush reasonable odd

1 I didn't think it was a(n) ____________ price. 나는 그것이 적당한 가격이라고 생각하지 않았다.
2 There's something ____________ about him. 그에게는 이상한 점이 있다.
3 He sometimes forgets to ____________ the toilet. 그는 가끔씩 변기 물을 내리는 것을 잊어버린다.
4 He realized it was impossible to ____________ this building.
그는 이 건물을 탈출하는 것이 불가능하다는 것을 깨달았다.

4 Health

A 밑줄 친 단어와 비슷한 의미의 단어를 고르시오.

1 Special effects are very common in movies today.
① general ② unique ③ particular ④ specific ⑤ certain

2 Stress can lead to all kinds of diseases.
① cures ② illnesses ③ medicines ④ patients ⑤ symptoms

B 우리말과 일치하도록 〈보기〉에서 단어를 골라 문장을 완성하시오.

보기 lack lead to burn chemical

1 They found a ____________ that causes the disease. 그들은 그 병의 원인이 되는 화학 물질을 찾아냈다.
2 ____________ of sleep can result in weight gain. 수면 부족은 체중 증가를 야기할 수 있다.
3 It could almost ____________ a very serious accident. 그것은 매우 심각한 사고로 이어질 뻔했다.
4 Please be careful not to ____________ the cookies. 쿠키가 타지 않도록 주의해 주세요.

어휘 재충전

1 Stories

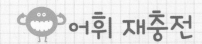

□ rare a. 진귀한, 드문
□ expensive a. 비싼
□ sugary a. 설탕이 든
□ sweetened a. 설탕을 넣은
□ drink n. 음료, 마실 것
□ consume v. 먹다, 마시다
□ decay v. 썩다
□ fall out 떨어져 나가다
□ fashion n. 유행, 인기
□ similar a. 비슷한
□ exist v. 존재하다
□ ancient a. 고대의
□ nobility n. 귀족
□ slave n. 노예
□ tidy a. 깔끔한
□ wealthy a. 부유한

2 origin

□ Egyptian a. 이집트의 n. 이집트 사람
□ counting n. 셈, 계산
□ based on ~에 근거하여
□ symbol n. 상징, 기호
□ represent v. 나타내다, 대표하다
□ unit n. 단위
□ vertical a. 수직의
□ single a. 하나의
□ upside-down a. 뒤집힌
□ coiled a. 휘감긴
□ upwards ad. 위쪽으로
□ million n. 100만
□ enormous a. 거대한, 막대한
□ addition n. 덧셈
□ subtraction n. 뺄셈
□ on the other hand 반면에
□ advanced a. 진보한
□ calculation n. 계산
□ accomplish v. 완수하다, 해내다
□ wonder n. 불가사의

3 Law

□ law n. 법
□ reasonable a. 타당한
□ understandable a. 이해할 수 있는
□ odd a. 이상한
□ Switzerland n. 스위스
□ poop v. 대변을 보다
□ flush v. 물을 내리다
□ illegal a. 불법적인
□ government n. 정부
□ anti-social a. 반사회적인
□ Denmark n. 덴마크
□ start an engine 시동을 걸다
□ make sure 반드시 ~하다
□ get arrested 체포되다
□ crime n. 범죄
□ escape from ~에서 탈출하다
□ jail n. 감옥
□ go v. (~의 상태로) 되다
□ nude a. 나체의
□ take off (옷을) 벗다
□ national a. 국가의
□ foreigner n. 외국인
□ international a. 국제적인
□ strict a. 엄격한
□ tradition n. 전통
□ weird a. 이상한
□ prevent v. 예방하다

4 Health

□ fairly ad. 상당히, 꽤
□ strenuous 격렬한
□ aim for 목표하여 나아가다
□ push A up A를 밀어 올리다
□ heart rate 심장 박동 수
□ produce v. 생산하다
□ feel-good a. 기분 좋게 해주는
□ chemical n. 화학 물질
□ bliss n. 더없는 행복
□ burn v. 태우다
□ muscle n. 근육
□ fit a. 건강한
□ muscular a. 근육질의
□ disease n. 질병
□ lack of ~의 부족
□ lead to ~로 이어지다
□ high blood pressure 고혈압
□ obesity n. 비만
□ common a. 흔한
□ age v. 나이가 들다 n. 나이
□ guarantee v. 보장하다

Chapter 04

Math

Unusual Food

World News

People

정답 및 해설 p10

1

Math

Do you know that Americans still use an ancient Roman measuring system? It's called the Imperial system. What did Romans measure things with? Their bodies! A mile (1.609 km) was 1,000 paces. A pace (152.4 cm) was the length of five feet, and a foot (30.48 cm) was the length of an average man's foot. An inch (2.54 cm) was the width of an average man's thumb. More precisely, it was 1/12 of a foot. In fact, "inch" itself comes from the Latin word *uncia*, meaning one twelfth. Only the USA, Burma, and Liberia have not adopted the metric system. What a strange trio! The rest of the world modernized ages ago.

*Imperial system inch, feet 등을 사용하는 영국식 숫자 체계
*metric system meter, gram 등을 사용하는 국제적인 숫자 체계

1 윗글의 제목으로 가장 알맞은 것은?

① The Origin of the Imperial System
② The Greatness of the Imperial System
③ How Long the Average Man's Foot Is
④ How to Measure Your Body Precisely
⑤ Why People Still Use Their Bodies to Measure

서술형
2 윗글의 내용과 일치하도록 빈칸에 알맞은 말을 본문에서 찾아 쓰시오.

To be more exact, an inch was ____________ of a foot, and the word "inch" ____________ the Latin word *uncia*, meaning one twelfth.

어휘 충전

ancient a. ________	measuring system ________	measure v. ________
pace n. ________	length n. ________	width n. ________
thumb n. ________	precisely ad. ________	come from ________
adopt v. ________	trio n. ________	modernize v. ________
ages ago ________	origin n. ________	to be more exact ________

2

Unusual Food

The United Nations (UN) wants you to eat more insects. They say that eating insects can reduce global warming and hunger. How? Insects grow everywhere. Unlike farm animals, they need no special care or feeding. They are also excellent at making protein. They eat grass and then turn it into protein. People cannot eat grass but can eat protein. Crickets, for instance, make twelve times more protein than cows do from the same amount of grass. At the same time, they produce far less greenhouse gases. And since insects are high in protein, energy, and vitamins, they are ideal foods for poor children. However, "consumer disgust" must be overcome first. We need more people to say "yum!" instead of "yuck!" to insects.

*greenhouse gas 온실가스 *global warming 지구 온난화
*yum 냠냠(맛있을 때 내는 소리) *yuck 으액(불쾌할 때 내는 소리)

1 윗글의 내용과 일치하지 않는 것은?

① 곤충을 먹으면 지구 온난화와 기아를 줄일 수 있다.
② 곤충은 단백질을 만들어 내는 데 탁월하다.
③ 사람들도 단백질을 만들어 낼 수 있는 물질을 가지고 있다.
④ 귀뚜라미는 소보다 12배나 많은 단백질을 만들어 낸다.
⑤ 귀뚜라미는 소보다 훨씬 적은 양의 온실가스를 방출한다.

서술형

2 윗글에서 곤충이 가난한 아이들에게 이상적인 식품인 이유를 찾아 우리말로 쓰시오.

____

어휘 충전

insect n. ______	reduce v. ______	hunger n. ______
unlike prep. ______	care n. ______	feeding n. ______
protein n. ______	cricket n. ______	turn A into B ______
at the same time ______	produce v. ______	ideal a. ______
consumer n. ______	disgust n. ______	overcome v. ______

3
World News

Oscar lives on a farm in England. One day, a harvesting machine ran over Oscar and tore off his back feet. His owner, Kate Allan, took him to an animal hospital. The doctor saved Oscar and recommended a world-first surgery to give him new feet. ① He said if the surgery worked for Oscar, then it could also work for humans. ② So Kate said yes, and a team of scientists and surgeons got to work. ③ They fitted hollow metal sticks onto Oscar's back leg bones. ④ Oscar's back legs are shorter than his front legs. ⑤ The sticks were covered in a bone-growth hormone, so Oscar's leg bones grew into the sticks. ______________, Oscar's skin and hair grew back around the new feet, too. This is how he became the world's first cyborg cat. Now, with his cyborg feet, he can walk just like he did before!

*bone-growth hormone 뼈 성장 호르몬

어휘 충전

harvesting n. ______	run over ______	tear off ______
owner n. ______	save v. ______	recommend v. ______
surgery n. ______	work v. ______	surgeon n. ______
get to work ______	fit v. ______	hollow a. ______
metal n. ______	bone n. ______	be covered in ______
grow into ______	grow back ______	cyborg n. ______

1 **Oscar에 관한 윗글의 내용과 일치하지 않는 것은?**

① 영국의 한 농장에서 살고 있다.
② 수확하는 기계에 뒷발을 잘렸다.
③ 뒷다리 뼈에는 금속 막대기가 있다.
④ 세계 최초의 사이보그 고양이이다.
⑤ 수술을 받았지만 예전처럼 걸을 수는 없었다.

2 **윗글의 밑줄 친 ①~⑤ 중 글의 흐름과 관계가 없는 것은?**

① ② ③ ④ ⑤

3 **윗글의 빈칸에 들어갈 말로 가장 알맞은 것은?**

① Unfortunately ② Amazingly ③ Poorly
④ Badly ⑤ Seriously

지식 채널

사이보그란?

사이보그(Cyborg)는 사이버네틱스(Cybernetics)와 생물(Organism)의 합성어이며, 뇌를 제외한 신체의 일부를 기계로 교체한 인조인간이라는 의미이다. 이 단어는 1960년에 출판된 〈사이보그와 우주〉라는 책을 통해서 도입되었다. 사이보그는 의료복지적 사이보그와 슈퍼맨 사이보그로 나뉜다. 의료복지적 사이보그는 질병, 재해, 고령 등으로 인해 결함이 생긴 사람이 의족, 의수, 인공장기 등을 부착하여 정상적인 기능을 하게 된 것이고, 슈퍼맨 사이보그는 정상인이 여러 장치를 부착하여 정상인 이상의 초월적인 활동을 하게 된 것이다.

4

People

Do you know about Nikola Tesla? Then how about Thomas Edison? Maybe you don't know Tesla, but you probably know Edison very well. Sure, Edison invented a lot of stuff. But Tesla did, too. In fact, Tesla was a true genius in the science of electricity. Edison employed Tesla, and Tesla improved Edison's D/C power motor. But Edison never paid Tesla for his work. Tesla then invented a way to send A/C power from power plants to homes. It's the system the whole world uses to this day. He also invented fluorescent lighting and many other great electrical things. (①) Compared to Tesla, Edison was merely a genius businessman. (②) He gained fame and fortune, while Tesla died poor and unknown. (③) A Hollywood movie was made about him recently. (④) And a company called Tesla Motors makes the "Tesla," a prize-winning electric car. (⑤) Tesla would be happy to know this, don't you think?

*D/C (direct current) power 직류 전력 (전류의 일종)
*A/C (alternating current) power 교류 전력 (전류의 일종)
*fluorescent lighting 형광등

어휘 충전

maybe ad. ________	probably ad. ________	invent v. ________
stuff n. ________	in fact ________	genius n. ________
electricity n. ________	employ v. ________	improve v. ________
power plant ________	to this day ________	electrical a. ________
compared to ________	merely ad. ________	businessman n. ________
gain v. ________	fame n. ________	fortune n. ________
while conj. ________	recently ad. ________	prize-winning a. ________

1 윗글의 제목으로 가장 알맞은 것은?

① Who Is Better: Edison or Tesla
② Success of the Electricity Business
③ How Tesla Gained Fame and Fortune
④ The Invention of Fluorescent Lighting
⑤ A True Genius behind Edison, Tesla

2 윗글의 내용과 일치하면 T, 그렇지 않으면 F를 쓰시오.

(1) Tesla는 Edison의 직류 전력 모터를 개선시켰다. ________
(2) Tesla가 개발한 교류 전력은 오늘날까지 사용되고 있다. ________
(3) Edison과 Tesla는 사업적 동업자 관계였다. ________

3 글의 흐름으로 보아 주어진 문장이 들어갈 위치로 가장 알맞은 곳은?

Now, however, Tesla's genius is becoming better known.

① ② ③ ④ ⑤

이미지 맵 글을 읽고, 빈칸을 완성하시오.

Title: (1)____________________________

Nikola Tesla was a true genius in the science of (2)___________.

→ Tesla (3)___________ fluorescent lighting, A/C power, and many other great electrical things.

↓ Edison gained fame and fortune (4)___________ Tesla died poor and unknown.

← But now, Tesla is becoming better (5)___________ to people.

Review Test

1 Math

A 빈칸에 들어갈 알맞은 단어를 고르시오.

1 Justin really knows everything, so he is ____________ a walking dictionary.
Justin은 매우 박학다식하여 걸어 다니는 사전이라고 불린다.
① thought ② read ③ become ④ carried ⑤ called

2 The story came ____________ a famous Greek myth.
그 이야기는 유명한 그리스 신화에서 유래했다.
① from ② to ③ into ④ out ⑤ of

B 우리말과 일치하도록 〈보기〉에서 단어를 골라 문장을 완성하시오.

보기 measure modernize adopt length

1 We decided to ____________ a new traffic system. 우리는 새로운 교통 체제를 채택하기로 결정했다.
2 The test is used to ____________ people's IQ. 그 시험은 사람들의 IQ를 측정하기 위해서 사용된다.
3 The ____________ of the Han River is about 500 km. 한강의 길이는 약 500 km이다.
4 The company paid about $10,000 to ____________ its factory.
그 회사는 공장을 현대화하기 위해 1만 달러를 지불했다.

2 Unusual Food

A 밑줄 친 단어와 반대되는 의미의 단어를 고르시오.

1 Exercising regularly helps <u>reduce</u> high blood pressure.
① cut ② lessen ③ weaken ④ shorten ⑤ increase

2 Today is <u>ideal</u> for going camping.
① excellent ② best ③ unsuitable ④ great ⑤ faultless

B 우리말과 일치하도록 〈보기〉에서 단어를 골라 문장을 완성하시오.

보기 overcome less unlike disgust

1 ____________ Jason, his sister eats vegetables. Jason과 달리 그의 여동생은 채소를 먹는다.
2 I felt ____________ when I ate a rotten apple. 나는 썩은 사과를 먹었을 때 역겨움을 느꼈다.
3 It is difficult for me to ____________ my fear of flying.
비행 공포증을 극복하는 것은 내게 어려운 일이다.
4 This math problem is ____________ complicated than you think.
이 수학 문제는 네가 생각하는 것보다 덜 복잡하다.

3 World News

A 〈보기〉의 밑줄 친 ran over와 같은 의미로 쓰인 것은?

보기 A harvesting machine ran over Oscar and tore off his back feet.

① We ran over to the bakery.
② The truck ran over a road sign.
③ I poured water into a bottle and it ran over.
④ Mr. Jones ran over his memo before the presentation.
⑤ Dad ran over to the supermarket and got some milk.

B 우리말과 일치하도록 〈보기〉에서 단어를 골라 문장을 완성하시오.

보기 surgery hollow amazingly fitted

1 ____________, she chose not to be promoted. 놀랍게도 그녀는 승진을 거절했다.
2 I ____________ the broken pieces of the toy together. 나는 부서진 장난감 조각들을 끼워 맞췄다.
3 We found the trees were ____________ inside. 우리는 그 나무 안이 비어 있는 것을 발견했다.
4 After the ____________, he was able to move his hand. 수술 후에 그는 손을 움직일 수 있었다.

4 People

A 밑줄 친 단어와 비슷한 의미의 단어를 고르시오.

1 Maybe he forgot his password.
① Certainly ② Probably ③ Surely ④ Definitely ⑤ Absolutely

2 Do you know how I can improve my tennis skills?
① drop ② decrease ③ develop ④ lose ⑤ reduce

B 우리말과 일치하도록 〈보기〉에서 단어를 골라 문장을 완성하시오.

보기 merely employ stuff compared to

1 The company tries to ____________ skilled workers. 그 회사는 숙련공을 고용하려고 한다.
2 The sales of the shop increased by 20 percent ____________ last year.
그 가게의 매출액은 작년에 비해 20퍼센트 증가했다.
3 She's ____________ a baby. You can't leave her alone.
그녀는 단지 아기일 뿐이야. 너는 그녀를 혼자 두면 안 돼.
4 A lot of ____________ in this market is made in China.
이 시장에 있는 많은 물건들은 중국에서 만들어진 것이다.

어휘 재충전

1 Math

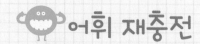

- □ ancient — a. 고대의
- □ measuring system — 측정 시스템
- □ measure — v. 측정하다
- □ pace — n. 걸음, 보폭
- □ length — n. 길이
- □ width — n. 폭, 너비
- □ thumb — n. 엄지손가락
- □ precisely — ad. 정확히, 꼭
- □ come from — ~에서 유래하다
- □ adopt — v. 채택하다, 선정하다
- □ trio — n. 3인조
- □ modernize — v. 현대화하다
- □ ages ago — 옛날 옛적에
- □ origin — n. 기원, 근원
- □ to be more exact — 보다 정확히 말하자면

2 Unusual Food

- □ insect — n. 곤충
- □ reduce — v. 줄이다
- □ hunger — n. 기아, 배고픔
- □ unlike — prep. ~와 달리
- □ care — n. 돌봄, 보살핌
- □ feeding — n. 먹이 주기
- □ protein — n. 단백질
- □ cricket — n. 귀뚜라미
- □ turn A into B — A를 B가 되게 하다
- □ at the same time — 동시에
- □ produce — v. 생산하다, 배출하다
- □ ideal — a. 이상적인
- □ consumer — n. 소비자
- □ disgust — n. 혐오감, 역겨움
- □ overcome — v. 극복하다

3 World News

- □ harvesting — n. 수확, 거둬들이기
- □ run over — (사람, 동물을) 치다
- □ tear off — 뜯어내어 버리다
- □ owner — n. 주인
- □ save — v. 구하다
- □ recommend — v. 권유하다
- □ surgery — n. 수술
- □ work — v. 효과가 있다
- □ surgeon — n. 외과의사
- □ get to work — (일을) 시작하다
- □ fit — v. 끼워 맞추다
- □ hollow — a. 텅 빈
- □ metal — n. 금속
- □ bone — n. 뼈
- □ be covered in — ~로 싸여 있다
- □ grow into — ~ 안으로 자라다
- □ grow back — 다시 자라다
- □ cyborg — n. 사이보그

4 People

- □ maybe — ad. 어쩌면, 아마
- □ probably — ad. 아마, 어쩌면
- □ invent — v. 발명하다
- □ stuff — n. 물건, 물질
- □ in fact — 사실은
- □ genius — n. 천재, 천재성
- □ electricity — n. 전기, 전력
- □ employ — v. 고용하다
- □ improve — v. 개선하다, 향상시키다
- □ power plant — 발전소
- □ to this day — 오늘날까지
- □ electrical — a. 전기의
- □ compared to — ~와 비교하여
- □ merely — ad. 그저, 단지
- □ businessman — n. 사업가
- □ gain — v. 얻다
- □ fame — n. 명성
- □ fortune — n. 부, 재물
- □ while — conj. 반면에
- □ recently — ad. 최근에
- □ prize-winning — a. 입상의

Chapter 05

Body

Stories

Information

Technology

1

Body

When you suddenly feel cold and scared, your skin becomes like chicken skin. You can say that you got goose bumps. Do you know why you get them? To answer the question, we need to remember our earliest ancestors. They were totally covered in hair. When we're cold, tiny muscles in our skin suddenly contract. The skin rises a little bit, which makes bumps. These bumps make hair stand up straight. Lots of standing-up-straight hairs trap warm air next to the skin and keep cold air out. This is how hairy animals keep themselves warm today. But why does it also happen when we're frightened? Well, the bumpy skin and standing-up-straight hairs make animals look a bit bigger, and bigger animals are less likely to be attacked.

1 윗글의 제목으로 가장 알맞은 것은?

① How Did Our Ancestors Stand Cold?
② Why Do We Get Goose Bumps?
③ Why Do We Have Hairs on Our Body?
④ When Do We Get Goose Bumps?
⑤ Why Do Animals Need Bumpy Skin?

2 윗글에서 추울 때 털이 곧게 서는 이유로 언급된 것은?

① 차가운 공기가 피부를 건조하게 하기 때문에
② 추우면 몸에 힘을 주게 되기 때문에
③ 선조 때부터 내려온 습관 때문에
④ 기온이 낮으면 털이 뻣뻣해지기 때문에
⑤ 피부의 근육이 수축해 돌기를 만들어 내기 때문에

어휘 충전

goose bumps ________	ancestor n. ________	totally ad. ________
be covered in ________	contract v. ________	bump n. ________
straight ad. ________	trap v. ________	keep out ________
hairy a. ________	frightened a. ________	bumpy a. ________
likely a. ________	attack v. ________	stand v. ________

2

Stories

The Kokoda Track is one of the world's most challenging hikes. It is a 96-kilometer trail through the dense jungles of Papua New Guinea. Chloe Simpson tried it at age 18, just months after a car accident that almost killed her. Her injuries were horrible. So, doctors said she would need 10 months in the hospital. But she was out in just three months. At that time, the doctors who helped in Chloe's recovery were planning to walk the Kokoda to raise money for the hospital. Even though she was not fully recovered, Chloe and her dad decided to join them. Did Chloe make it to the finish? Yes, she did. And after her amazing achievement, she said. "It was my way to say 'thank you' to everyone who looked after me in the hospital."

1 윗글에서 Chloe Simpson이 코코다 트랙에 도전한 이유로 언급된 것은?

① 어려서부터 꿈꿔오던 일이었기 때문에
② 의사들이 그녀에게 도전을 권유했기 때문에
③ 오랜 시간 병원에 입원하면서 답답했기 때문에
④ 사고로 당한 부상에서 모두 회복되었기 때문에
⑤ 그녀를 돌봐 준 사람들에게 감사를 표현하고 싶었기 때문에

2 윗글의 내용과 일치하면 T, 그렇지 않으면 F를 쓰시오.

(1) Chloe는 파푸아 뉴기니에서 사고를 당했다. ________
(2) Chloe의 회복을 도와주던 의사들은 병원을 위한 기금을 모금하려 했다. ________
(3) Chloe의 도전은 아름다웠지만 결국 성공하지는 못했다. ________

어휘 충전

challenging a. ________	trail n. ________	dense a. ________
injury n. ________	horrible a. ________	recovery n. ________
raise v. ________	fully ad. ________	make it ________
amazing a. ________	achievement n. ________	look after ________

3

Information

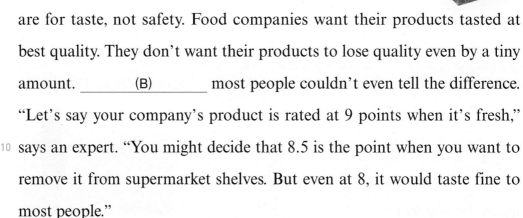

Do we have to throw food products out after their "best by" date? Except for fresh fish and meat, no, we don't. ______(A)______, a jar of mustard in your fridge may have "expired," but you can keep on using it as long as it looks and smells fine. That's because most "best by" dates are for taste, not safety. Food companies want their products tasted at best quality. They don't want their products to lose quality even by a tiny amount. ______(B)______ most people couldn't even tell the difference. "Let's say your company's product is rated at 9 points when it's fresh," says an expert. "You might decide that 8.5 is the point when you want to remove it from supermarket shelves. But even at 8, it would taste fine to most people."

어휘 충전

except for ______	fresh a. ______	jar n. ______
mustard n. ______	fridge n. ______	expire v. ______
as long as ______	taste n. ______ v. ______	safety n. ______
company n. ______	quality n. ______	tiny a. ______
amount n. ______	tell v. ______	rate v. ______
remove v. ______	shelf n. ______	

1 **윗글의 요지로 가장 알맞은 것은?**

① 몸에 좋은 신선한 음식을 섭취해야 한다.

② 식품에는 반드시 유통기한이 표기되어야 한다.

③ 유통기한이 지난 음식을 꼭 버려야 하는 것은 아니다.

④ 냉장고 속 음식의 신선도에 따라 등급을 매겨야 한다.

⑤ 최상의 품질을 위해 유통기한 안에 음식을 먹어야 한다.

2 **윗글의 빈칸 (A)와 (B)에 들어갈 말로 바르게 짝지어진 것은?**

① Furthermore – However ② But – Nevertheless ③ For instance – But

④ So – For example ⑤ On the other hand – Therefore

서술형

3 **윗글에서 best by dates가 정해지는 기준을 찾아 영어로 쓰시오.**

지식 채널

• **유통기한**
제품을 제조한 이후로 소비자에게 판매가 허용된 기한

• **소비기한**
해당 식품을 소비자가 먹어도 인체에 해가 되지 않는 기한

• **품질유지기한**
식품의 특성에 맞춰, 적절한 보존 방법이나 기준에 따라 보관할 경우 해당 식품 고유의 품질이 유지될 수 있는 기한

식품	소비기한(유통기한 경과 후)
우유	45일
라면	8개월
참치캔	10년 이상
식빵	18일
냉동 만두	1년 이상
두부	90일

자료: 식품의약품안전처

4 Technology

When your alarm goes off, do you hit the snooze button over and over again? Do you have a lot of trouble waking up? Maybe you should try one of these clever clocks.

1. Dumbbell Workout

The "Shape-Up" Dumbbell Alarm won't stop bothering you ________________ you pick it up and do at least 30 repetitions. At least your arm will be awake even if your brain isn't quite ready to go.

2. Bacon in the Morning

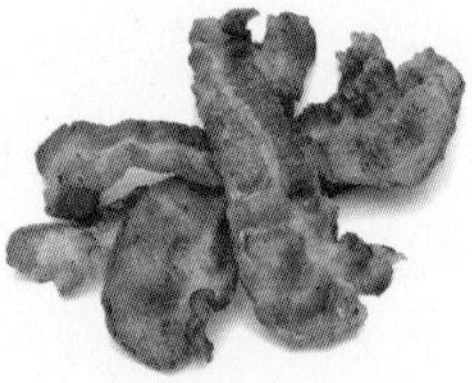

The delicious smell of bacon says it's time to get up and have breakfast. Put frozen bacon onto the Bacon Clock's cooktop and set your alarm. Your bacon will start cooking four minutes before you need to wake up.

3. Clocky

Hit the snooze button on "Clocky" more than once, and it jumps two meters away from you. You have to get out of bed and chase it down to make it stop ringing. By then, you'll be wide awake.

*snooze button 알람 일시정지 버튼 *shape-up 몸만들기

어휘 충전

go off ________	over and over again ________	clever a. ________
dumbbell n. ________	bother v. ________	workout n. ________
at least ________	repetition n. ________	awake a. ________
frozen a. ________	cooktop n. ________	set v. ________
get out of ________	chase v. ________	wide awake ________

1 윗글에 따르면 이 시계가 가장 필요한 사람은?

① people who don't have time to eat
② people who don't like to work out
③ people who often lose their watch
④ people who have a hard time getting up
⑤ people who always forget the time of an appointment

2 윗글의 내용과 일치하지 않는 것은?

① 아령 시계는 최소한 30분 동안 반복해서 들어 올려야 한다.
② 베이컨 시계는 실제 베이컨 굽는 냄새로 사람들을 깨운다.
③ 클락키는 시계를 쫓아가서 버튼을 눌러야 한다.
④ 베이컨 시계는 냉동 베이컨을 미리 올려놔야 한다.
⑤ 클락키는 타이머 버튼을 누르면 2미터 정도 멀리 갈 수 있다.

3 윗글의 빈칸에 들어갈 말로 가장 알맞은 것은?

① before ② until ③ once
④ since ⑤ during

이미지 맵 글을 읽고, 빈칸을 완성하시오.

Title: Clocks for People Who Have Trouble (1)___________

The "Shape-Up" Dumbbell Alarm	Bacon Clock	Clocky
You have to pick it up at least 30 (2)__________ to make it stop ringing.	The smell of bacon helps you get up. It starts (3)__________ before you wake up.	It jumps two meters away from you. You have to (4)__________ it down to make it stop ringing.

Review Test

1 Body

A 빈칸에 들어갈 알맞은 단어를 고르시오.

1 The custom has come down to us from our ______________.
그 관습은 우리의 조상들로부터 전해 내려오고 있다.
① character ② children ③ relatives ④ ancestors ⑤ generation

2 The soldiers decided to ______________ the enemy at dawn.
그 군인들은 새벽에 적군을 공격하기로 결정했다.
① attack ② defense ③ attempt ④ damage ⑤ protect

B 우리말과 일치하도록 〈보기〉에서 단어를 골라 문장을 완성하시오.

보기 skin straight totally frightened

1 She is too tired to stand up ______________. 그녀는 너무 피곤해서 똑바로 서 있을 수 없다.
2 He was ______________ at the sound of his name. 그는 자신의 이름을 부르는 소리를 듣고 겁을 먹었다.
3 I drink lots of water to have healthy ______________.
나는 건강한 피부를 위해 물을 많이 마신다.
4 My brother and I are ______________ different from each other.
나의 형과 나는 서로 완전히 다르다.

2 Stories

A 밑줄 친 단어와 비슷한 의미의 단어를 고르시오.

1 When you walk through the <u>dense</u> rain forest, you need to be very careful.
① thick ② serious ③ dry ④ light ⑤ strict

2 He overcame <u>injury</u> and won the gold medal.
① insult ② wound ③ weakness ④ fault ⑤ strangeness

B 우리말과 일치하도록 〈보기〉에서 단어를 골라 문장을 완성하시오.

보기 challenging look after recovery achievement

1 We have been praying for your quick ______________. 우리는 당신의 빠른 회복을 빌고 있다.
2 Everyone was very impressed by her ______________. 모두 그녀의 성과에 매우 감동을 받았다.
3 Could you ______________ my dog while I'm away? 내가 없는 동안 강아지 좀 돌봐 줄 수 있니?
4 I thought it was a very ______________ project for me.
나는 그것이 매우 도전적인 프로젝트라고 생각했다.

정답 및 해설 p16

3 Information

A 다음 중 단어의 정의가 잘못된 것은?

① tell: to recognize difference
② quality: how good or bad something is
③ tiny: something that is very large
④ jar: a glass container that is used for storing food
⑤ fresh: recently made or produced

B 우리말과 일치하도록 〈보기〉에서 단어를 골라 문장을 완성하시오.

보기 shelves expires removed safety

1 I have to extend my visa before it ____________. 나는 비자가 만료되기 전에 연장해야 한다.
2 They checked all the baggage for ____________. 그들은 안전을 위해 모든 짐을 검사했다.
3 The ____________ were full of old history books. 선반은 오래된 역사책들로 가득 차 있었다.
4 She ____________ all the empty bottles in the backyard.
그녀는 뒷마당에 있던 빈 병을 모두 치웠다.

4 Technology

A 밑줄 친 단어와 반대되는 의미의 단어를 고르시오.

1 Her husband's loud snoring kept her awake.
① asleep ② aware ③ sleepless ④ alive ⑤ dead

2 Talk to your parents about what is bothering you.
① annoy ② disturb ③ hate ④ please ⑤ tease

B 우리말과 일치하도록 〈보기〉에서 단어를 골라 문장을 완성하시오.

보기 wake up repetition at least frozen

1 The most important thing in learning is ____________. 학습에서 가장 중요한 것은 반복이다.
2 ____________ foods are fit for people who live alone.
냉동식품은 혼자 사는 사람들에게 적합하다.
3 She always has coffee to ____________ in the morning.
그녀는 항상 아침에 정신을 차리기 위해 커피를 마신다.
4 I try to exercise ____________ two or three days a week.
나는 적어도 일주일에 2, 3일은 운동을 하려고 한다.

어휘 재충전

1 Body

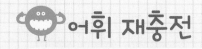

- □ goose bumps — 소름, 닭살
- □ ancestor — n. 조상, 선조
- □ totally — ad. 완전히
- □ be covered in — ~로 덮이다
- □ contract — v. 수축하다
- □ bump — n. 돌출부, 돌기
- □ straight — ad. 똑바로
- □ trap — v. 가두다, 끌어 모으다
- □ keep out — ~이 들어가지 않게 하다
- □ hairy — a. 털이 많은
- □ frightened — a. 겁먹은
- □ bumpy — a. 울퉁불퉁한
- □ likely — a. ~할 것 같은
- □ attack — v. 공격하다
- □ stand — v. 참다, 견디다

2 Stories

- □ challenging — a. 도전적인
- □ trail — n. 코스, 산길
- □ dense — a. 빽빽한
- □ injury — n. 부상, 상처
- □ horrible — a. 끔찍한
- □ recovery — n. 회복
- □ raise — v. (자금을) 모으다
- □ fully — ad. 완전히
- □ make it — 해내다
- □ amazing — a. 놀라운
- □ achievement — n. 업적
- □ look after — ~을 돌보다

3 Infomation

- □ except for — ~을 제외하고는
- □ fresh — a. 신선한, 날것의
- □ jar — n. 병
- □ mustard — n. 겨자
- □ fridge — n. 냉장고
- □ expire — v. 만료되다
- □ as long as — ~하는 한
- □ taste — n. 맛 v. 맛보다
- □ safety — n. 안전
- □ company — n. 회사
- □ quality — n. 질
- □ tiny — a. 아주 적은
- □ amount — n. 양
- □ tell — v. 구별하다, 알다
- □ rate — v. 등급을 매기다
- □ remove — v. 치우다, 없애다
- □ shelf — n. 선반

4 Technology

- □ go off — 울리다
- □ over and over again — 반복해서
- □ clever — a. 영리한, 똑똑한
- □ dumbbell — n. 아령
- □ bother — v. ~을 괴롭히다
- □ workout — n. 운동
- □ at least — 적어도, 최소한
- □ repetition — n. 반복
- □ awake — a. 깨어 있는
- □ frozen — a. 냉동된
- □ cooktop — n. (가스, 전자) 레인지의 위판
- □ set — v. (시계, 기기를) 맞추다
- □ get out of — ~에서 나가다
- □ chase — v. 뒤쫓다
- □ wide awake — 완전히 깨어 있는

Chapter 06

Information

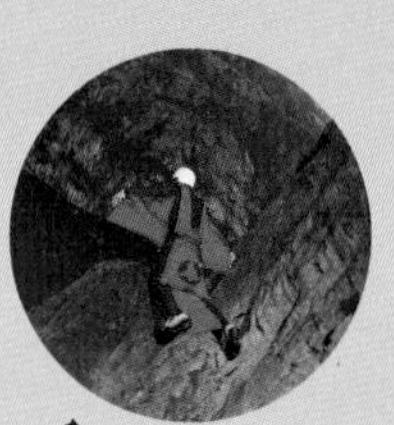

Extreme Sports

Health

Myth

1 Information

All the clothes you buy have "Clothing-Care" labels attached. The labels explain how to keep your clothes clean and in best condition, and how to make their useful life longer. It also tells you how you can ruin them! The little icons represent important instructions, but what do they mean? Here's an easy guide.

Washing Signs

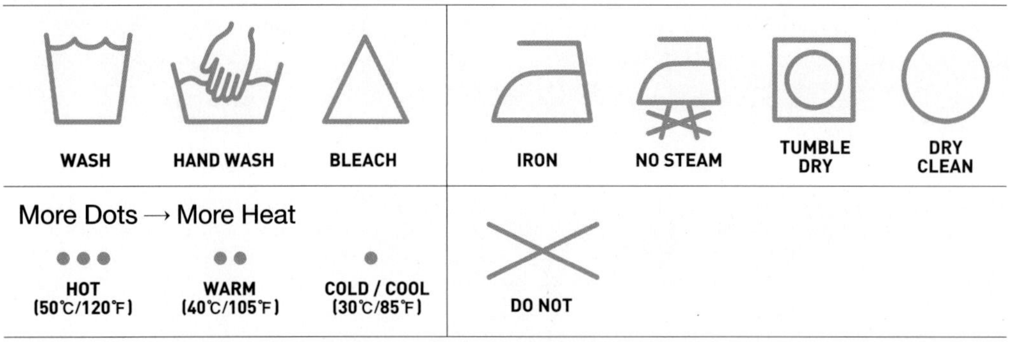

*clothing-care 의류 관리 *tumble dry 회전식 건조기

1 윗글의 제목으로 가장 알맞은 것은?

① Why the Signs Are Made
② What Washing Signs Tell Us
③ Where We Can Wash Clothes
④ How to Buy the Best Washing Machine
⑤ Why We Should Wash Clothes Regularly

2 다음 제시된 세탁 관리법에 알맞은 세탁 기호를 고르시오.

• 손빨래 하시오. • 저온에서 말리시오.

어휘 충전

attached a. ______ explain v. ______ condition n. ______
useful life ______ ruin v. ______ represent v. ______
instruction n. ______ bleach v. ______ iron v. ______

2 Extreme Sports

Have you ever heard of wingsuit flying? It is an extremely dangerous form of skydiving or base jumping. Participants wear a special jumpsuit called a "wingsuit," which has fabric that spreads out between the arms and legs. The fabric, like wings, increases the body's surface area and slows the fall after a jump. Essentially, the wingsuit makes your body into a flying machine, and you are the pilot. Wearing a wingsuit, you can stay in the air for minutes and fly for miles. Unlike skydivers, who fall straight down, wingsuit pilots can glide along in the air for some time. It's like experiencing the dream of flying, but it's in real life. Would you like to try it?

*jumpsuit 낙하산 강하용 옷, 점프 슈트(상의와 하의가 붙어 있는 옷)
*wingsuit 팔과 다리 사이에 천이 붙어있는 특수 낙하산 강하용 옷

1 wingsuit flying에 관한 윗글의 내용과 일치하지 않는 것은?

① 스카이다이빙 혹은 베이스 점프의 위험한 형태이다.
② 윙슈트를 입으면 공기 중에서 몇 분간 머무를 수 있다.
③ 윙슈트를 입으면 점프 이후에 떨어지는 속도를 더디게 한다.
④ 윙슈트 플라잉 참가자들은 조종사 면허가 필요하다.
⑤ 윙슈트의 천은 몸의 표면적을 넓혀준다.

서술형
2 윗글의 내용과 일치하도록 빈칸에 알맞은 말을 본문에서 찾아 쓰시오.

Skydivers fall __________ down, but wingsuit pilots can __________ along in the air for some time.

어휘 충전

extremely ad. ________	participant n. ________	fabric n. ________
spread out ________	increase v. ________	surface n. ________
fall n. ________	essentially ad. ________	flying a. ________
unlike ad. ________	fall down ________	straight ad. ________
glide v. ________	experience v. ________	in real life ________

3

Health

More and more teenagers are suffering from permanent hearing loss, and experts blame loud noise. Our hearing is damaged a little whenever we are exposed ______(A)______ loud noise. The damage builds up with repeated exposure and leads ______(B)______ permanent hearing loss. So, how can we prevent it? Here are <u>some tips</u> for you.

- Avoid harmful noise. Stay away from the source of loud noises if you can.
- If you can't get away, use protection. Going to a rock concert? Mowing the lawn? Always use earplugs or earmuffs!
- Control the volume. Especially, keep the sound down on your headphones. Electronic devices usually have a recommended safe volume level, so find out what it is and stay within it.
- Don't smoke, and avoid smokers. Tobacco smoke causes ear infections and hearing damage!

*earplugs 귀마개(귓구멍에 꽂는 형태) *earmuffs 귀마개(귀를 덮는 형태)

어휘 충전

more and more ______
hearing loss ______
damage v. ______ n. ______
build up ______
avoid v. ______
source n. ______
control v. ______
device n. ______
infection n. ______
suffer from ______
expert n. ______
whenever conj. ______
exposure n. ______
harmful a. ______
get away ______
keep down ______
find out ______
permanent a. ______
blame v. ______
expose v. ______
prevent v. ______
stay away from ______
protection n. ______
electronic a. ______
cause v. ______

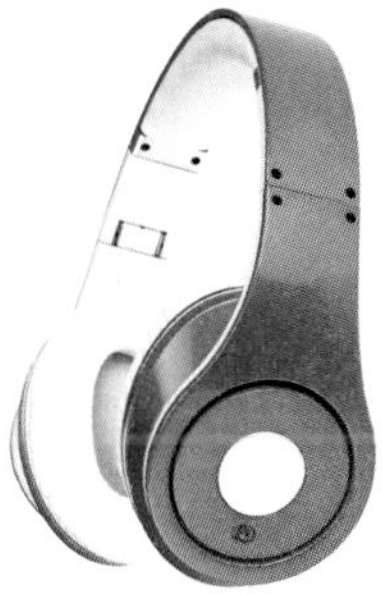

1 윗글의 주제로 가장 알맞은 것은?

① 난청 치료 방법
② 소음을 피하는 방법
③ 청소년들의 난청 실태
④ 청력 손실을 방지하는 방법
⑤ 반복된 소음 노출로 인한 폐해

2 윗글의 밑줄 친 some tips를 잘 따르고 있지 않은 사람은?

① 시끄러운 곳에 가지 않는 여동생
② 잔디를 깎을 때 귀마개를 하는 남동생
③ 작은 소리로 텔레비전을 시청하시는 아버지
④ 담배를 피우는 친구들과 자주 함께 있는 삼촌
⑤ 볼륨을 적정 수준으로 유지하고 헤드폰으로 음악을 듣는 나

3 윗글의 빈칸 (A)와 (B)에 공통으로 들어갈 말로 가장 알맞은 것은?

① at ② in ③ to
④ by ⑤ with

지식 채널

난청이란 무엇일까?

난청은 일반적으로 들리는 소리에 대한 감도가 감소되었다는 의미이다. 다음은 일반적인 난청의 신호와 증상이다.

- 사람들이 말하는 것이 중얼거리는 것처럼 들리며 사람들이 말하거나 속삭일 때 듣기 어려움
- 사람들에게 천천히 또렷하게 말해 달라고 자주 요청함
- 사람들이 들을 수 있는 정도의 TV와 라디오 음량임에도 듣는 것이 어려움
- 듣고 말하는 의사소통이 어려워서 사회 활동을 피하게 됨

4

Myth

Eros was the Greek god of love. He fell in love with Psyche, a beautiful girl. He didn't want to scare her, so he made himself invisible and came to her. He said, "If you love me, never try to see me." He made her swear to it. Even so, she grew to love him. They lived in a beautiful palace and were very happy together. However, Psyche's sisters became very jealous of her. They wanted to destroy her marriage. So they told her, "Eros is a monster. Leave him, ______________ he will kill you." Psyche cried and cried. "It cannot be true! My wonderful husband is a monster?" Eventually, she decided to find out. One night, she waited until Eros fell asleep. Then she took a candle and looked at his face. He was so beautiful! She was so amazed that she dripped wax from her candle. It fell on Eros's face. He immediately woke up and flew away.

어휘 충전

fall in love with ______	scare v. ______	invisible a. ______
swear v. ______	even so ______	palace n. ______
jealous a. ______	destroy v. ______	marriage n. ______
monster n. ______	eventually ad. ______	decide v. ______
until conj. ______	fall asleep ______	amazed a. ______
drip v. ______	wax n. ______	fall on ______
immediately ad. ______	fly away ______	

1 **윗글의 내용과 관련 있는 명언은?**

① 죄는 미워하되 죄인은 사랑하라. 〈마하트마 간디〉

② 애정이 충만한 마음은 슬픔 또한 많다. 〈도스토옙스키〉

③ 모든 사랑은 다음에 오는 사랑에 의해 정복된다. 〈오비디우스〉

④ 사랑을 받는 것보다 사랑하는 것이 진정한 행복이다. 〈헤르만 헤세〉

⑤ 사랑은 눈으로 보는 것이 아니라 마음으로 보는 것이다. 〈윌리엄 셰익스피어〉

2 **윗글의 밑줄 친 부분에 들어갈 말로 알맞은 것은?**

① and ② but ③ or

④ so ⑤ yet

3 **윗글의 내용과 일치하면 T, 그렇지 않으면 F를 쓰시오.**

(1) Eros는 Psyche가 무섭지 않도록 자신을 눈에 보이지 않게 만들었다. ________

(2) Psyche의 언니들은 Psyche의 행복을 실투했다. ________

(3) Psyche가 Eros의 얼굴에 촛농을 떨어뜨리자, Eros는 인간으로 변신했다. ________

이미지 맵 **글을 읽고, 빈칸을 완성하시오.**

Title: The Love between Eros and Psyche

Eros fell in love with Psyche, but he didn't want to (1)___________ her. So, he made himself (2)___________ and came to her.

He asked Psyche to try not to (3)___________ him, and they lived happily together.

Psyche's sisters were (4)___________ of her. They told her Eros was a monster.

Psyche looked at his face, and he was beautiful. As soon as he woke up, he (5)___________.

Review Test

1 Information

A 빈칸에 들어갈 알맞은 단어를 고르시오.

1 Jonathan ____________ how the car accident happened to the police officer.
Jonathan은 어떻게 교통사고가 났는지 경찰에게 설명했다.
① explained ② watched ③ understood ④ felt ⑤ began

2 My father always keeps his car in perfect ____________.
우리 아버지는 항상 자동차를 완벽한 상태로 유지하신다.
① action ② happening ③ condition ④ symbol ⑤ scene

B 우리말과 일치하도록 〈보기〉에서 단어를 골라 문장을 완성하시오.

보기 ruined attached instructions represents

1 The Statue of Liberty ____________ freedom. 자유의 여신상은 자유를 상징한다.
2 My dog chewed my painting and ____________ it. 나의 개가 내 그림을 씹어서 망쳐 놓았다.
3 I checked the price on the ____________ price tag. 나는 붙어있는 가격표에서 가격을 확인했다.
4 Read the ____________ carefully before taking the medicine.
그 약을 복용하기 전에 설명을 주의 깊게 읽으시오.

2 Extreme Sports

A 밑줄 친 단어와 반대되는 의미의 단어를 고르시오.

1 The government <u>increased</u> the tax rate to 30% last year.
① raise ② reduce ③ escalate ④ expand ⑤ promote

2 It is <u>extremely</u> dangerous for children to play with knives.
① very ② severely ③ hugely ④ little ⑤ greatly

B 우리말과 일치하도록 〈보기〉에서 단어를 골라 문장을 완성하시오.

보기 participants stayed spread out experience

1 The singer ____________ her arms on the stage. 그 가수는 무대 위에서 두 팔을 벌렸다.
2 All ____________ marched into the stadium. 모든 참가자들은 스타디움 안으로 행진했다.
3 You can ____________ a hot summer Christmas in Australia.
호주에서는 더운 여름 크리스마스를 경험할 수 있다.
4 Sam ____________ with his uncle in Seattle during the winter vacation.
Sam은 겨울 방학 동안 시애틀에서 삼촌과 지냈다.

3 Health

A 〈보기〉의 밑줄 친 keep down과 같은 의미로 쓰인 것은?

보기 Especially, keep the sound down on your headphones.

① The children kept running down the hill.
② I was careless, so I kept falling down.
③ The man kept writing down something on his notebook.
④ Mr. Johns keeps his wine down in the basement.
⑤ The air conditioner keeps the room temperature down.

B 우리말과 일치하도록 〈보기〉에서 단어를 골라 문장을 완성하시오.

보기 blame cause damaged prevent

1 A fierce storm ____________ 1,485 houses. 사나운 폭풍우가 1,485개의 집에 손상을 입혔다.
2 Don't ____________ yourself too much. 당신 스스로를 너무 탓하지 마세요.
3 To ____________ skin cancer, put on sunscreen when you go out.
피부암을 예방하기 위해 외출할 때는 선크림을 바르시오.
4 Eating too much chocolate will ____________ tooth decay.
초콜릿을 너무 많이 먹는 것은 충치를 야기할 것이다.

4 Myth

A 밑줄 친 단어와 비슷한 의미의 단어를 고르시오.

1 People may feel jealous when they compare themselves to others.
① suspicious ② comfortable ③ lonely ④ respectful ⑤ envious

2 Doctors swear to save lives, no matter what.
① promise ② deny ③ believe ④ maintain ⑤ secure

B 우리말과 일치하도록 〈보기〉에서 단어를 골라 문장을 완성하시오.

보기 destroy marriage invisible immediately

1 I turned the volume down ____________. 나는 즉시 볼륨을 줄였다.
2 The magician made himself ____________. 마술사는 스스로를 사람들 눈에 보이지 않게 했다.
3 We have gathered to celebrate the ____________. 우리는 결혼을 축하하기 위해서 모였다.
4 This program will find the virus in your computer and ____________ it.
이 프로그램은 당신의 컴퓨터에서 바이러스를 찾아 없애 버릴 것이다.

어휘 재충전

1 Information

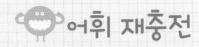

- □ attached — a. 부착된
- □ explain — v. 설명하다
- □ condition — n. 상태
- □ useful life — 유효 수명, 사용 수명
- □ ruin — v. 망치다
- □ represent — v. 나타내다
- □ instruction — n. 설명, 방법
- □ bleach — v. 표백하다
- □ iron — v. 다림질하다

2 Extreme Sports

- □ extremely — ad. 극도로, 극히
- □ participant — n. 참가자
- □ fabric — n. 천, 직물
- □ spread out — 펴다, 벌리다
- □ increase — v. 증가하다
- □ surface — n. 표면
- □ fall — n. 떨어짐, 낙하
- □ essentially — ad. 기본적으로
- □ flying — a. 날 수 있는, 나는
- □ unlike — ad. ~와 다르게
- □ fall down — 떨어지다, 넘어지다
- □ straight — ad. 똑바로
- □ glide — v. 미끄러지듯 가다
- □ experience — v. 경험하다
- □ in real life — 현실 세계에서

3 Health

- □ more and more — 점점 더 많은
- □ suffer from — ~로 고통을 받다
- □ permanent — a. 영구적인
- □ hearing loss — 청력 손상
- □ expert — n. 전문가
- □ blame — v. 비난하다, ~을 탓하다
- □ damage — v. 손상을 입히다 n. 손상
- □ whenever — conj. ~할 때마다
- □ expose — v. 노출시키다
- □ build up — 점점 증가하다
- □ exposure — n. 노출
- □ prevent — v. 막다, 예방하다
- □ avoid — v. 피하다
- □ harmful — a. 해로운
- □ stay away from — ~로부터 거리를 두다
- □ source — n. 근원, 원천
- □ get away — 벗어나다
- □ protection — n. 보호물, 보호 장비
- □ control — v. 조절하다
- □ keep down — ~를 낮추다
- □ electronic — a. 전자의
- □ device — n. 기기, 장비
- □ find out — 알아내다
- □ cause — v. 야기하다
- □ infection — n. 감염

4 Myth

- □ fall in love with — ~와 사랑에 빠지다
- □ scare — v. ~을 겁나게 하다
- □ invisible — a. 눈에 보이지 않는
- □ swear — v. 맹세하다
- □ even so — 그럼에도 불구하고
- □ palace — n. 궁전
- □ jealous — a. 질투하는
- □ destroy — v. 망가트리다
- □ marriage — n. 결혼, 결혼 생활
- □ monster — n. 괴물
- □ eventually — ad. 결국
- □ decide — v. 결심하다
- □ until — conj. ~까지
- □ fall asleep — 잠들다
- □ amazed — a. 놀란
- □ drip — v. 떨어뜨리다
- □ wax — n. 왁스, 촛농
- □ fall on — ~위에 떨어지다
- □ immediately — ad. 즉시
- □ fly away — 날아가다

Chapter 07

Health

Entertainment

Architecture

Jobs

정답 및 해설 p19

1

Health

Sleep experts recommend eight hours of sleep a night. They also say that getting a few hours less than that isn't too harmful. Still, teenagers need as much sleep as they can get. However, many are damaging their health by going to sleep with electrical devices. Research has found that gadgets such as smartphones, computers, and other devices cause poor quality sleep when they are used at bedtime. Dr. Chris Idzikowski of the Edinburgh Sleep Center calls the problem "junk sleep" because it doesn't provide teenagers the healthy rest they need. In fact, it can cause hormonal changes in the body. The changes can lead to obesity and mental problems. The message is simple, "Switch off the gadgets and get more sleep."

*gadget 최첨단의 기계나 부품

1 윗글의 내용과 일치하지 않는 것은?

① 전문가는 8시간의 수면을 권장한다.
② 청소년은 충분한 수면을 취해야 한다.
③ 수면 부족은 모든 사람에게 매우 해롭다.
④ 잠자리에서는 전자 기기를 사용하면 안 된다.
⑤ 청소년의 수면 부족은 정신 질환을 일으킬 수 있다.

서술형

2 윗글에서 밑줄 친 junk sleep이 의미하는 것을 찾아 세 단어의 영어로 쓰시오.

____

어휘 충전

expert n. ________	recommend v. ________	harmful a. ________
electrical a. ________	device n. ________	quality n. ________
bedtime n. ________	provide v. ________	hormonal a. ________
lead to ________	obesity n. ________	switch off ________

Are you good at spelling? Can you stay cool under intense pressure? These are <u>the skills</u> you need to win the world's biggest spelling contest, the Scripps National Spelling Bee. The final is held in Washington D.C. in late May or early June. To reach the final, you have to win your school's competition, then your county's competition, and finally your state's competition. Arvind Mahankali, a thirteen-year-old boy from New York, was the winner of the 86th annual contest. He won by correctly spelling "knaidel," a word from Yiddish for "a small mass of leavened dough." After his win, some Yiddish experts claimed that the spelling was wrong. But the judges said there was no controversy, since Arvind had spelled the word as it is in the contest's official dictionary.

*knaidel 크네이들(경단 모양의 유대 요리) *Yiddish 이디시어(유대인 언어) *leavened dough 발효시킨 밀가루 반죽

1 Scripps National Spelling Bee에 관한 윗글의 내용과 일치하지 <u>않는</u> 것은?

① 대회는 매년 5월 말이나 6월 초에 시작한다.
② 세계에서 가장 큰 철자법 대회이다.
③ 제86회 대회에서는 13세 소년이 우승을 했다.
④ 대회를 위한 공식 사전이 있다.
⑤ 교내 대회에서 시작해 워싱턴에서 열리는 결승전까지 이어진다.

서술형

2 윗글에서 밑줄 친 <u>the skills</u>가 의미하는 것을 찾아 우리말로 쓰시오.

____

어휘 충전

spell v. ________	stay cool ________	intense a. ________
pressure n. ________	hold v. ________	competition n. ________
county n. ________	state n. ________	annual a. ________
correctly ad. ________	mass n. ________	claim v. ________
judge n. ________	controversy n. ________	official a. ________

3

Architecture

Can you imagine a bridge made of plastic waste? Well, you don't have to imagine it. You can see it now. Scotland's Dawyck Estate Bridge is the longest and strongest bridge of its kind. It spans 30 meters, supports 44,000 kilograms of weight, and it's 100 percent recycled plastic. Not just any kind of plastic, though. This is a super-strength mixture of waste plastic products. As a construction material, it is far more environmentally friendly than steel and concrete. It will also last much longer. Despite these obvious benefits, it may take many years before we see many more plastic bridges or roads. Strict building standards and safety regulations have to change first because recycled material isn't considered safe and strong in many countries. In the meantime, let's keep finding creative new uses for our waste materials.

*strength 내구력, 강도 *environmentally friendly 환경친화적인

어휘 충전

imagine v. ______	made of ______	plastic a. ______ n. ______
waste n. ______	span v. ______	support v. ______
recycled a. ______	mixture n. ______	construction n. ______
material n. ______	steel n. ______	concrete n. ______
last v. ______	obvious a. ______	benefit n. ______
strict a. ______	standard n. ______	regulations n. ______
consider v. ______	in the meantime ______	creative a. ______

1 윗글의 제목으로 가장 알맞은 것은?

① Ways to Recycle Waste Materials
② A Bridge Made of Recycled Plastic
③ Various Kinds of Bridges around the World
④ Why We Should Recycle Plastic
⑤ The Longest and Strongest Bridge in the World

2 Dawyck Estate Bridge에 관한 윗글의 내용과 일치하지 않는 것은?

① 스코틀랜드에 있다.
② 100% 재활용 플라스틱으로 만들어졌다.
③ 세계에서 가장 튼튼한 다리이다.
④ 44,000 킬로그램의 무게를 지탱한다.
⑤ 다리의 길이는 30m이다.

서술형

3 윗글에서 Dawyck Estate Bridge의 장점 두 가지를 찾아 우리말로 쓰시오.

____

지식 채널

세상에서 하나뿐인 재활용 가방

1993년에 스위스의 그래픽 디자이너인 마르쿠스 프라이탁과 다니엘 프라이탁 형제는 고속도로를 달리는 화물용 트럭의 방수포를 보고 영감을 얻어 가방을 만들기 시작했다. 트럭의 방수포는 사용하고 폐기 처분하는데 막대한 비용을 지불해야 해서 버려지는 경우가 많았는데, 두 형제는 이 버려진 방수포와 자동차의 안전벨트를 수거해 제품을 만들었다. 사용되는 방수포의 무늬, 색깔에 따라 가방의 모양이 달라 소비자는 세상에서 단 하나뿐인 제품을 가질 수 있기 때문에 전 세계 많은 젊은이들에게 훌륭한 패션 아이템으로 각광 받고 있다.

4 Jobs

What's the weirdest job you've ever heard of? It could be one of these!

Pet Food Taster

Do you ever wonder what pet food tastes like? There are some people who actually taste pet foods for a living. Mark Allison does it for a famous British department store and says he loves it! He even has a favorite — the "Luxury Chicken & Vegetable Dinner for Cats."

Underarm Sniffer

Peta Jones is the "underarm odor tester" for an international cosmetics company. Her job is to smell strangers' underarms to test the company's deodorants. She says it was strange at first, but now she's used to it.

Golf Ball Diver

Would you like to try scuba diving? How about on a golf course? Golf ball divers search the bottoms of ponds and lakes on golf courses. They collect lost golf balls, clean them up, and resell them. Justin Binga, a golf ball diver in Arizona makes around $30,000 a year!

*deodorant 냄새 제거제, 데오드란트

어휘 충전

weird a. ________	hear of ________	wonder v. ________
taster n. ________	for a living ________	department store ________
favorite n. ________	luxury a. ________	underarm a. ________
sniffer n. ________	odor n. ________	international a. ________
cosmetics n. ________	stranger n. ________	bottom n. ________
pond n. ________	collect v. ________	resell v. ________
odd a. ________	well-paid a. ________	profession n. ________

1 윗글의 제목으로 가장 알맞은 것은?

① Popular Jobs in the Past
② Odd Jobs in the World
③ Well-Paid Jobs in the Future
④ The World's Oldest Profession
⑤ Dream Jobs for Teens

2 윗글의 내용과 일치하면 T, 그렇지 않으면 F를 쓰시오.

(1) Mark Allison은 애완동물용 음식을 먹는 것을 좋아한다. ________

(2) Peta Jones는 국제적인 화장품 회사에서 일을 한다. ________

(3) Justin Binga는 잃어버린 골프공을 주인에게 찾아 준다. ________

서술형

3 윗글에서 다음 질문에 대한 답을 찾아 영어로 쓰시오.

Why does Peta Jones smell strangers' underarms?

____

이미지 맵 글을 읽고, 빈칸을 완성하시오.

Title: (1)______________________________

Pet Food Taster	Underarm Sniffer	Golf Ball Diver
They (2)____________ pet foods.	They smell (3)____________ underarms to test the company's deodorants.	They search the (4)____________ of lakes on golf courses and (5)____________ lost golf balls, clean them up, and resell them.

Review Test

1 Health

A 빈칸에 들어갈 알맞은 단어를 고르시오.

1 She thinks ____________ is more important than quantity.
그녀는 양보다 질이 중요하다고 생각한다.
① size ② weight ③ balance ④ quality ⑤ ability

2 Doctors ____________ that you should drink at least eight glasses of water a day.
의사들은 물을 하루에 적어도 8잔 이상 마시라고 권유한다.
① complain ② apologize ③ decline ④ attempt ⑤ recommend

B 우리말과 일치하도록 〈보기〉에서 단어를 골라 문장을 완성하시오.

보기 harmful device expert mental

1 You can remove this ____________ at any time. 당신은 언제든지 이 장치를 제거할 수 있다.

2 He wanted to be an ____________ in this field. 그는 이 분야에 전문가가 되고 싶어 했다.

3 Vincent van Gogh had a ____________ disease for a long time.
Vincent van Gogh는 오랫동안 정신 질환을 앓았다.

4 It can be ____________ to use a computer too much.
컴퓨터를 너무 많이 사용하는 것은 해로울 수 있다.

2 Entertainment

A 밑줄 친 단어와 반대되는 의미의 단어를 고르시오.

1 There is <u>intense</u> competition between the teams.
① mild ② cruel ③ severe ④ serious ⑤ tough

2 Are you sure that you entered your password <u>correctly</u>?
① certainly ② completely ③ exactly ④ wrongly ⑤ actually

B 우리말과 일치하도록 〈보기〉에서 단어를 골라 문장을 완성하시오.

보기 pressure claimed judges spell

1 She asked the man to ____________ his surname 그녀는 그에게 성의 철자를 알려 달라고 했다.

2 My parents try not to put ____________ on me. 나의 부모님은 나에게 부담을 주지 않으려고 한다.

3 Sarah ____________ that Shane copied her song.
Sarah는 Shane이 자신의 노래를 표절했다고 주장했다.

4 Her performance received a lot of praise from the ____________.
그녀의 연기는 심사위원으로부터 찬사를 받았다.

정답 및 해설 p22

3 Architecture

A 〈보기〉의 밑줄 친 waste와 같은 의미로 쓰인 것은?

보기 Can you imagine a bridge made of plastic waste?

① I don't have much time to waste.
② They tried to recycle their construction waste.
③ Don't waste your money on that.
④ It is a waste of energy.
⑤ He wasted his money on clothes.

B 우리말과 일치하도록 〈보기〉에서 단어를 골라 문장을 완성하시오.

보기 materials recycle obvious creative construction

1 He taught me how to ____________ paper. 그는 나에게 종이를 재활용하는 방법을 가르쳐 주었다.
2 It is ____________ that the boy is lying. 그 남자아이가 거짓말을 하고 있다는 것은 명백하다.
3 Many buildings are under ____________ in this area. 이 지역에 있는 많은 건물들이 공사 중이다.
4 The new house was built of good ____________. 그 새집은 좋은 재료로 지어졌다.
5 We have to find more a ____________ solution. 우리는 좀 더 창의적인 해결책을 찾아야 한다.

4 Jobs

A 밑줄 친 단어와 비슷한 의미의 단어를 고르시오.

1 Something weird happened to me this morning.
① ordinary ② special ③ odd ④ normal ⑤ common

2 You can find your name at the bottom of the list.
① beside ② base ③ top ④ above ⑤ behind

B 우리말과 일치하도록 〈보기〉에서 단어를 골라 문장을 완성하시오.

보기 international stranger odor collect

1 That tall man is a total ____________ to me. 나는 저 키 큰 남자를 전혀 모른다.
2 She helped me to ____________ data. 그녀는 내가 자료 모으는 것을 도와주었다.
3 Kelly hopes to work at an ____________ company. Kelly는 국제 기업에서 일하기를 원한다.
4 The product will help you reduce your foot ____________.
그 제품은 너의 발 냄새를 줄여 줄 것이다.

어휘 재충전

1 Health

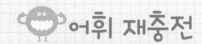

- □ expert — n. 전문가
- □ recommend — v. 권장하다
- □ harmful — a. 해로운
- □ electrical — a. 전기의
- □ device — n. 장치, 기구
- □ quality — n. 질
- □ bedtime — n. 잠잘 시간
- □ provide — v. 제공하다
- □ hormonal — a. 호르몬의
- □ lead to — ~로 이끌다, 이어지다
- □ obesity — n. 비만
- □ switch off — (~을) 끄다

2 Entertainment

- □ spell — v. 철자를 쓰다
- □ stay cool — 침착하게 행동하다
- □ intense — a. 극심한
- □ pressure — n. 압박
- □ hold — v. 개최하다
- □ competition — n. 대회, 경쟁
- □ county — n. 자치주(군)
- □ state — n. (미국의) 주
- □ annual — a. 연례의
- □ correctly — ad. 정확하게
- □ mass — n. 덩어리
- □ claim — v. 주장하다
- □ judge — n. 심사위원
- □ controversy — n. 논란
- □ official — a. 공식적인

3 Architecture

- □ imagine — v. 상상하다
- □ made of — ~으로 만든
- □ plastic — a. 플라스틱의 n. 플라스틱
- □ waste — n. 쓰레기, 폐기물
- □ span — v. 가로지르다, 걸치다
- □ support — v. 받치다
- □ recycled — a. 재활용된
- □ mixture — n. 혼합물
- □ construction — n. 건설, 공사
- □ material — n. 재료, 소재
- □ steel — n. 강철
- □ concrete — n. 콘크리트
- □ last — v. 지속되다, 유지되다
- □ obvious — a. 분명한, 명백한
- □ benefit — n. 이득, 이점
- □ strict — a. 엄격한
- □ standard — n. 기준, 수준
- □ regulations — n. 규제, 규정
- □ consider — v. 여기다, 간주하다
- □ in the meantime — 그동안에
- □ creative — a. 창의적인

4 Jobs

- □ weird — a. 기이한, 기묘한
- □ hear of — ~에 대해 듣다
- □ wonder — v. 궁금해하다
- □ taster — n. 맛 감식가
- □ for a living — 생계 수단으로
- □ department store — 백화점
- □ favorite — n. 가장 좋아하는 것
- □ luxury — a. 고급의
- □ underarm — a. 겨드랑이의
- □ sniffer — n. 냄새를 맡는 사람
- □ odor — n. 냄새
- □ international — a. 국제적인
- □ cosmetics — n. 화장품
- □ stranger — n. 낯선 사람
- □ bottom — n. 맨 아래, 바닥
- □ pond — n. 연못
- □ collect — v. 모으다
- □ resell — v. 되팔다
- □ odd — a. 이상한, 특이한
- □ well-paid — a. 보수가 좋은
- □ profession — n. 직업

Chapter 08

Art

Sports

Education

Information

1

Art

Do you know Pablo Picasso's *Dove of Peace*? It's not a painting, but a simple line drawing and a famous anti-war symbol. It wasn't Picasso's first anti-war protest. (①) Perhaps his most famous anti-war painting is *Guernica*, which he painted for the 1937 World's Fair in Paris. (②) Many art historians say that it's the world's best anti-war painting. (③) Following the success of *Guernica* and the end of World War II, Picasso was invited to design a symbol for the First International Peace Conference in Paris in 1949. (④) He got an idea for his design from a picture which his friend, the French artist Henri Matisse, gave to him. (⑤) Picasso made it into one of the world's most beautiful symbols of peace.

*Guernica 게르니카(「아비뇽의 처녀들」과 함께 피카소의 2대 걸작으로 일컬어지는 작품으로 스페인 내전 중 나치가 게르니카를 폭격한 사건을 담은 그림)

1 윗글의 내용과 일치하지 <u>않는</u> 것은?

① Picasso의 Dove of Peace는 선으로 그린 그림이다.

② 미술가들은 Picasso가 반전 운동의 일환으로 그린 Guernica를 혹평했다.

③ Picasso는 1949년에 열린 세계 평화 회의를 위한 상징을 디자인했다.

④ Picasso는 친구가 준 그림에서 디자인에 대한 영감을 얻었다.

⑤ Picasso의 그림으로 인해 비둘기가 평화의 상징 중 하나가 되었다.

2 글의 흐름으로 보아 주어진 문장이 들어갈 위치로 가장 알맞은 곳은?

> The symbol was a picture of a dove.

① ② ③ ④ ⑤

어휘 충전

peace n. ______	simple a. ______	drawing n. ______
anti-war a. ______	symbol n. ______	protest n. ______
perhaps ad. ______	fair n. ______	historian n. ______
following prep. ______	success n. ______	international a. ______
conference n. ______	get an idea ______	make A into B ______

Surfing lessons are an excellent medicine for depression and problem behaviors, according to a new British National Health Service project. The project runs free surfing courses for troubled young people. Brendon, 14, was in foster care and doing very badly at school. But after five surfing lessons, he was already catching waves. He was also feeling much better. "I'm happier at school now and making lots of friends," said Brendon. Jo Taylor, the project's manager, said, "It's great because the kids don't see it as therapy. But it really does improve their self-esteem." At the beginning, most kids think they will fail. But when a kid realizes he can actually do it, he becomes a new person. Then, with support, he starts to think that he can achieve almost anything.

*problem behavior 문제 행동

1 윗글에서 파도타기 프로젝트의 대상으로 언급된 사람은?

① young people who make trouble
② young people who want to learn surfing
③ young people who get good grades
④ young people who have high self-esteem
⑤ young people who have a health problem

서술형

2 윗글의 내용과 일치하도록 빈칸에 알맞은 말을 본문에서 찾아 쓰시오.

At first, most kids think they will ______________. However, a kid becomes a new person when he ______________ he can actually do it.

어휘 충전

surfing n. ______	depression n. ______	according to ______
run v. ______	troubled a. ______	foster care ______
do badly at school ______	therapy n. ______	improve v. ______
self-esteem n. ______	at the beginning ______	fail v. ______
realize v. ______	support n. ______	achieve v. ______

3

Education

If you'd like to reduce suffering and increase happiness in your life, volunteering is a great way to do it. Volunteering helps others, of course, but it also helps you. First, you can gain valuable work skills and experience. You can find out the things you're good at and enjoy the most. Second, when others depend on you, (you, the way, can change, look at, you, yourself). You can even feel proud of yourself because you did something good for them. This also shows you that your life is meaningful. Third, volunteering gives you a better point of view on your own life. It's easy to waste time worrying about grades, friends, and little fights. Volunteering helps you deal with these. It helps you focus on others instead of yourself. Finally, volunteering is a great remedy for boredom. It's a break from studying and usually lots of fun!

어휘 충전

reduce v. ______	suffering n. ______	increase v. ______
volunteering n. ______	gain v. ______	valuable a. ______
experience n. ______	be good at ______	depend on ______
feel proud of ______	meaningful a. ______	point of view ______
grade n. ______	deal with ______	instead of ______
remedy n. ______	boredom n. ______	break n. ______

1 윗글의 주제로 가장 알맞은 것은?

① how volunteering helps you

② finding the right job for you

③ how to change the way you look

④ the ways to feel proud of yourself

⑤ things to prepare before volunteering

2 자원봉사에 관한 윗글의 내용과 일치하지 않는 것은?

① 가치 있는 작업 능력과 경험을 얻게 해 준다.

② 삶이 의미 있다는 것을 보여 준다.

③ 삶에 대한 긍정적인 견해를 제공해 준다.

④ 지루함에 대한 훌륭한 치료법이다.

⑤ 사회적으로 성공하는 데 도움이 된다.

서술형

3 윗글의 ( ) 안에 주어진 단어를 우리말과 같은 뜻이 되도록 배열하시오.

당신은 스스로를 바라보는 방법을 바꿀 수 있다.

지식 채널

세계 청소년 자원봉사의 날

세계 청소년 자원봉사의 날(Global Youth Service Day)은 1988년에 시작된 세계에서 가장 규모가 크고 오래된 자원 봉사 관련 행사로 매년 4월에 전 세계적으로 개최된다. 약 120개 국가에서 기념되고 있으며, 청소년이 중심이 되어 운영되는 유일한 봉사의 날이다. 이 행사는 세계 각국의 청소년이 자원봉사를 통해 자기주도적으로 지역 사회의 문제를 해결할 수 있는 기회를 제공하고 있으며, 청소년이 지역 사회 참여를 통한 공동체적 삶의 의미와 책임의식을 갖게 해 준다. 한국에서는 2001년부터 행사에 참여하고 있으며, '다문화 자원봉사', '가족과 함께하는 자원봉사', '소외계층과 함께하는 자원봉사'라는 주제로 활동을 진행하고 있다.

4

Information

Do you want to know how to look prettier in photos? Then, just turn your face a little more to the right! According to many studies, people's left side is usually more attractive than their right side. What's going on? ① Well, the two sides of your face are not exactly the same. ② They're more or less different, and the difference increases with age. ③ It's because the right half of your brain moves the left side of your face, and the left half moves the right. ④ However, it is possible to look young for your age. ⑤ Keep in mind that the right brain is more emotional. Therefore, the left side of the face shows more emotion, especially love and humor. In other words, it's the side that "lights up" the most. And when a face "lights up," it looks lovelier. Painters throughout history seem to agree. One study found that two thirds of famous European portraits show the left side of the person's face! So, the left side is the better side.

어휘 충전

- study n. ________
- attractive a. ________
- difference n. ________
- emotional a. ________
- in other words ________
- agree v. ________
- turn A to B ________
- exactly ad. ________
- with age ________
- therefore ad. ________
- light up ________
- portrait n. ________
- side n. ________
- more or less ________
- keep in mind ________
- especially ad. ________
- throughout prep. ________

정답 및 해설 p24

1 윗글의 제목으로 가장 알맞은 것은?

① How to Change Your Appearance

② Which Color Makes You Pretty in Photos?

③ Why Do Painters Love Beautiful Women?

④ The Difference between the Brain and the Face

⑤ Which Is Better: the Left Side or the Right Side of the Face?

2 윗글의 내용과 일치하지 않는 것을 모두 고르시오.

① Turn your face a little more to the right when taking pictures.

② People's left side is usually more attractive than their right side.

③ Both sides of people's faces are exactly the same.

④ The left half of the brain moves the right side of the face.

⑤ The right side of the face presents more emotion.

3 윗글의 밑줄 친 ①~⑤ 중 글의 흐름과 관계가 없는 것은?

① ② ③ ④ ⑤

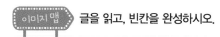

이미지 맵 글을 읽고, 빈칸을 완성하시오.

Title:
(1)___________
____
____
____

People's left side is usually more (2)___________ than their right side.

The two sides of your face are not exactly (3)___________. The right half of your brain moves the left side, and the left half moves the right.

The left side of the face shows more (4)___________. In other words, it's the side that (5)"___________" the most.

Review Test

1 Art

A 빈칸에 들어갈 알맞은 단어를 고르시오.

1 Many people took part in the ____________-war movement.
많은 사람들이 전쟁 반대 운동에 참여했다.
① pro ② anti ③ pre ④ in ⑤ inter

2 Doing exercise regularly makes me ____________ a healthy person.
규칙적으로 운동하는 것은 나를 건강하게 만든다.
① at ② with ③ into ④ of ⑤ in

B 우리말과 일치하도록 〈보기〉에서 단어를 골라 문장을 완성하시오.

보기 protest idea peace simple

1 This math problem is so ____________. 이 수학 문제는 정말 간단하다.
2 We are longing for ____________. 우리는 평화를 열망하고 있다.
3 I participated in a ____________ against animal testing. 나는 동물 실험에 반대하는 시위에 참여했다.
4 I've got a(n) ____________! Why don't we buy him a cap for his birthday?
좋은 생각이 있어! 그의 생일 선물로 모자를 사는 게 어때?

2 Sports

A 밑줄 친 단어와 반대되는 의미의 단어를 고르시오.

1 This machine will greatly <u>improve</u> production efficiency.
① worsen ② prove ③ promote ④ develop ⑤ advance

2 If you keep cutting classes, you will <u>fail</u> the course.
① decline ② pass ③ ruin ④ fall ⑤ register

B 우리말과 일치하도록 〈보기〉에서 단어를 골라 문장을 완성하시오.

보기 beginning run realize support

1 Nathan has ____________ a restaurant for 10 years. Nathan은 10년 동안 식당을 운영해 오고 있다.
2 I couldn't ____________ the true value of the work. 나는 그 작품의 진가를 깨닫지 못했다.
3 The government provides financial ____________ to people with disabilities.
정부는 장애인에게 재정 지원을 한다.
4 He sends a letter to his parents at the ____________ of every month.
그는 매달 초에 부모님께 편지를 보낸다.

정답 및 해설 p24

3 Education

A 〈보기〉의 밑줄 친 grades와 같은 의미로 쓰인 것은?

보기 It's easy to waste time worrying about grades.

① High-grade jewels are produced at this factory.
② He got good grades in the final exam.
③ Hotels in the city are classified in grades.
④ Strawberries are graded from small to large.
⑤ My brother will be in the second grade.

B 우리말과 일치하도록 〈보기〉에서 단어를 골라 문장을 완성하시오.

보기 valuable gain deal with volunteering

1 It's not easy for me to ____________ patients. 내게는 환자를 다루는 것이 쉽지 않다.
2 The building will be a ____________ asset for you. 그 건물은 당신에게 가치 있는 자산이 될 것이다.
3 He is interested in ____________ at animal shelters.
그는 동물 보호소에서 자원봉사하는 것에 관심이 있다.
4 She tried her best to ____________ trust from her boss.
그녀는 상사의 신뢰를 얻으려고 최선을 다했다.

4 Information

A 밑줄 친 단어와 비슷한 의미의 단어를 고르시오.

1 She is the most attractive woman I've ever seen.
① boring ② lonely ③ charming ④ active ⑤ ugly

2 I don't agree that most people love junk food.
① reject ② disapprove ③ deny ④ decline ⑤ admit

B 우리말과 일치하도록 〈보기〉에서 단어를 골라 문장을 완성하시오.

보기 keep in mind more or less in other words therefore

1 He works 8 hours a day, ______________. 그는 하루에 대략 8시간을 일한다.
2 ______________, I think the price is reasonable. 그러므로 나는 그 가격이 합리적이라고 생각한다.
3 ______________ that you have to return the book. 그 책을 돌려주어야 한다는 걸 명심해라.
4 ______________, there is no fairness in this society. 다시 말해서, 이 사회에는 공정함이 없다.

어휘 재충전

1 Art

□ peace	n. 평화
□ simple	a. 간단한, 단순한
□ drawing	n. 그림
□ anti-war	a. 전쟁 반대의, 반전의
□ symbol	n. 상징, 부호
□ protest	n. 항의, 시위(운동)
□ perhaps	ad. 아마, 어쩌면
□ fair	n. 박람회
□ historian	n. 역사가
□ following	prep. ~에 따라, ~에 뒤이어
□ success	n. 성공
□ international	a. 국제적인
□ conference	n. 회의
□ get an idea	영감, 생각을 얻다
□ make A into B	A를 B로 만들다

2 Sports

□ surfing	n. 서핑, 파도타기
□ depression	n. 우울증
□ according to	~에 따르면
□ run	v. 운영하다
□ troubled	a. 문제가 있는
□ foster care	위탁 보호
□ do badly at school	학교 성적이 나쁘다
□ therapy	n. 치료
□ improve	v. 향상시키다
□ self-esteem	n. 자신감
□ at the beginning	처음에
□ fail	v. 실패하다
□ realize	v. 깨닫다
□ support	n. 도움, 지지
□ achieve	v. 달성하다, 성취하다

3 Education

□ reduce	v. 줄이다
□ suffering	n. 고통, 괴로움
□ increase	v. 증가시키다
□ volunteering	n. 자원봉사
□ gain	v. ~을 얻다
□ valuable	a. 가치 있는
□ experience	n. 경험
□ be good at	~을 잘하다
□ depend on	~에 의지하다
□ feel proud of	~을 자랑스럽게 느끼다
□ meaningful	a. 의미 있는
□ point of view	관점, 견해
□ grade	n. 성적
□ deal with	다루다, 처리하다
□ instead of	~ 대신에
□ remedy	n. 치료법
□ boredom	n. 지루함
□ break	n. 휴식시간

4 Information

□ study	n. 연구, 조사
□ turn A to B	A를 B쪽으로 향하다
□ side	n. 면, 부분
□ attractive	a. 매력적인
□ exactly	ad. 정확히
□ more or less	다소, 대략
□ difference	n. 차이
□ with age	나이 듦에 따라
□ keep in mind	명심하다
□ emotional	a. 감성적인
□ therefore	ad. 그러므로
□ especially	ad. 특히, 유난히
□ in other words	다시 말해서
□ light up	밝게 하다, 밝아지다
□ throughout	prep. ~동안, 내내
□ agree	v. 동의하다
□ portrait	n. 초상화

Chapter 09

Life

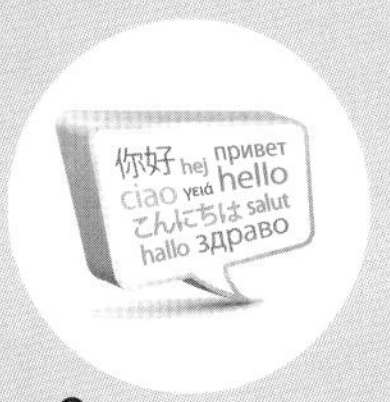

Language

Architecture

Academic

1

Life

Do you consider yourself an optimist or a pessimist? Before you answer the question, read this. Researchers studied optimists and pessimists, and found out that optimists were happier, healthier, and more successful. So, now what is your answer? Are you an optimist? Even if you aren't, you must want to be. (①) Here's how you can try. (②) First, take 10 minutes a day to write down the good things you noticed and are grateful for. (③) Next, train yourself to think that you can make good things happen in your life and say that you can achieve positive outcomes. (④) Lastly, even though things go wrong, do not blame yourself. (⑤) Just imagine a bright future. You can live a happier, healthier, and more successful life.

1 낙천주의자가 되는 방법으로 윗글에 언급된 내용이 아닌 것은?

① 감사한 일을 글로 적어라.
② 안 좋은 일로 자신을 탓하지 말라.
③ 밝은 미래를 상상하라.
④ 항상 밝은 미소를 지어라.
⑤ 긍정적인 결과가 있을 것이라고 자신에게 말하라.

2 글의 흐름으로 보아 주어진 문장이 들어갈 위치로 가장 적절한 곳은?

What is past is past.

① ② ③ ④ ⑤

어휘 충전

consider v. ______	optimist n. ______	pessimist n. ______
successful a. ______	write down ______	notice v. ______
be grateful for ______	train v. ______	achieve v. ______
positive a. ______	outcome n. ______	go wrong ______
blame v. ______	imagine v. ______	

2 Language

Learning a new language is not easy. But not all languages are equally difficult to learn. Some are easy, and others are hard. Languages that are related to yours are easier to learn. Languages that aren't related to yours are harder. Although all languages seem different, many languages share the same roots. Languages with the same roots usually have two things in common — grammar and vocabulary. Take English and French, for example. They share the same roots. And they have the same rule for word order, subject-verb-object. Furthermore, they have thousands of words in common. In fact, there are many English speakers who know about 10,000 words in French. And that's without studying French at all! So if you want to learn another language quickly, ____!

mother tongue 모국어

1 윗글의 내용과 일치하면 T, 그렇지 않으면 F를 쓰시오.

(1) 새로운 언어를 배우는 것은 똑같이 모두 어렵다. ________

(2) 영어와 프랑스어는 어순이 같다. ________

(3) 같은 뿌리를 가진 언어는 발음과 억양에 공통점이 있다. ________

2 윗글의 빈칸에 들어갈 말로 가장 알맞은 것은?

① choose a language you've wanted to learn

② choose a language spoken by young people

③ go to the country where the language is spoken

④ choose a language related to your mother tongue

⑤ go to the country where you can't use your mother tongue

어휘 충전

language n. ________	equally ad. ________	be related to ________
share v. ________	root n. ________	in common ________
grammar n. ________	vocabulary n. ________	order n. ________
subject n. ________	verb n. ________	object n. ________

3 Architecture

Many buildings are beautiful. But some are more than just beautiful. Let's take a look.

Basket House, United States

This giant basket, located in Newark, Ohio, is the national headquarters of a big company. (the company, guess, can, you, makes, what)? That's right — baskets. This one is seven stories tall and has space for 500 employees. The two handles alone weigh 136,077 kilograms!

Crooked House, Poland

It doesn't look normal. It looks like it's in a crazy mirror. The design was inspired by a book of fairytales, and it is said to be Poland's most photographed building.

Elephant Building, Thailand

This enormous building has eyes, ears, legs, tusks, and a huge trunk. It was built to resemble an elephant, Thailand's national animal. It has seven parts, including three towers of offices and apartments, a shopping mall, a recreation park, and luxury penthouses on top.

*tusk 상아, 코끼리의 엄니 *penthouse 고층 건물 맨 위층의 고급 아파트

어휘 충전

take a look ______	located in ______	headquarters n. ______
story n. ______	space n. ______	employee n. ______
handle n. ______	weigh v. ______	crooked a. ______
normal a. ______	mirror n. ______	be inspired by ______
fairytale n. ______	photograph v. ______	enormous a. ______
trunk n. ______	resemble v. ______	recreation n. ______

1 윗글의 제목으로 가장 알맞은 것은?

① Specially Designed Buildings
② The Most Expensive Buildings
③ The Most Popular Tourist Attractions
④ Different Countries, Different Buildings
⑤ Buildings Designed by the Most Popular Architect

2 윗글의 내용과 일치하지 않는 것은?

① 바구니 건물은 실제 바구니를 만드는 기업의 본사이다.
② 바구니 건물은 500명의 직원을 수용할 수 있다.
③ 비뚤어진 집은 내부에 신기한 거울이 설치되어 있다.
④ 비뚤어진 집은 동화에서 영감을 얻어 만들어졌다.
⑤ 태국의 코끼리를 닮은 건물에는 실제로 사람들이 살고 있다.

서술형

3 윗글의 ( ) 안에 주어진 단어를 우리말과 같은 뜻이 되도록 배열하시오.

당신은 이 회사가 무엇을 만드는지 추측할 수 있겠는가?

____

지식 채널

미국의 롱거버거사(Longaberger Company)

미국의 롱거버거사는 바구니 회사로 수제 바구니만 팔아 1조원 대의 매출을 기록한 회사다. 1972년 데이브 롱거버거(Dave Longaberger)가 세운 이 회사는 처음엔 파트타임 직원 몇 명으로 시작했지만 현재 8,700여 명의 직원과 미국 전역에 7만여 명의 판매원을 거느린 기업으로 성장했다. 이 회사는 크게 성장했음에도 불구하고, 오하이오 주의 드레스덴이란 작은 시골 마을을 떠나지 않고 있다. 오히려 이 마을에 바구니와 똑같은 모양의 본사 건물을 지어 이름 없는 조용한 시골 마을을 유명한 관광 명소로 탈바꿈시켰다. 건물은 완벽하게 바구니 모양을 본떠 지었으며, 내부 구조 역시 바구니를 연상케 하도록 설계했다.

4

Academic

Are you about to begin a research paper? It can seem overwhelming, but you can succeed. Just follow these simple steps.

First, you need to choose a topic, so brainstorm ideas. Once you have decided on a topic, you can start your research. Visit the library and find books, magazines, and newspaper articles related to your topic. You can also search the Internet, but make sure the source is trustworthy. After finishing your research, note the sources you used. You have to cite them at the end of your paper. Now that you have all the information, write an outline. Then, you're ready to write your first draft. Your first draft should have three main parts — *introduction, body, and conclusion.* When you finish your first draft, go over it several times and refine it. Make sure every idea is clear and supports the main topic. Proofread your final draft. Correct any mistakes in spelling, grammar, and punctuation. When you think you are happy with it, submit it on time!

어휘 충전

be about to ______	research paper ______	overwhelming a. ______
succeed v. ______	follow v. ______	brainstorm v. ______
decide on ______	once conj. ______	article n. ______
search v. ______	make sure ______	source n. ______
trustworthy a. ______	note v. ______	cite v. ______
outline n. ______	draft n. ______	introduction n. ______
body n. ______	conclusion n. ______	go over ______
refine v. ______	support v. ______	proofread v. ______
correct v. ______	punctuation n. ______	submit v. ______

1 윗글의 제목으로 가장 알맞은 것은?

① How to Be a Successful Writer
② How to Write a Research Paper
③ How to Collect Data for a Report
④ How to Recycle Paper in the Office
⑤ How to Choose a Good Topic for Conversation

2 윗글을 읽고, 각 단계에 해당하는 내용을 보기에서 골라 그 기호를 쓰시오.

보기	ⓐ research	ⓑ first draft	ⓒ final draft

(1) 서론, 본론, 결론으로 나누어 작성해야 한다. ________
(2) 철자, 문법, 구두점 등 틀린 곳은 바로잡아야 한다. ________
(3) 인용 표시를 위해 사용한 자료를 기록해 두어야 한다. ________

서술형

3 윗글에서 인터넷 자료 수집 시 유의할 점으로 언급한 것을 찾아 우리말로 쓰시오.

____

이미지 맵 글을 읽고, 빈칸을 완성하시오.

Title: (1)______________________

Brainstorm ideas and (2)__________ a topic.
→ Start your research and find the source related to your (3)__________.
→ Write an (4)__________ with the information.
→ Write a first (5)__________ including introduction, body, and conclusion.
→ (6)__________ your final draft. Correct any mistakes.
→ (7)__________ your paper on time

Review Test

1 Life

A 빈칸에 들어갈 알맞은 단어를 고르시오.

1 We can't ____________ life without computers now.
우리는 이제 컴퓨터가 없는 삶은 상상할 수가 없다.
① consider ② imagine ③ decide ④ wonder ⑤ worry

2 Having a ____________ attitude about life can help you stay healthy.
삶에 대해 긍정적인 태도를 지니는 것은 여러분이 건강을 유지하도록 도와줄 수 있다.
① negative ② pessimistic ③ generous ④ serious ⑤ positive

B 우리말과 일치하도록 〈보기〉에서 단어를 골라 문장을 완성하시오.

보기 notice grateful achieve blamed

1 He ____________ me for his mistake. 그는 자신의 실수를 내 탓으로 돌렸다.
2 When did you ____________ the symptoms? 그 증상을 언제 알아차렸나요?
3 I'm ____________ for all your support. 여러분의 성원에 감사합니다.
4 You should make an effort to ____________ your goal.
목표를 달성하기 위해서 노력해야 한다.

2 Language

A 밑줄 친 단어와 비슷한 의미의 단어를 고르시오.

1 English and French share the same <u>roots</u>.
① materials ② processes ③ branches ④ origins ⑤ methods

2 What he is saying in not <u>related to</u> the topic.
① known to ② exposed to ③ based on ④ filled with ⑤ connected with

B 우리말과 일치하도록 〈보기〉에서 단어를 골라 문장을 완성하시오.

보기 equally languages order share

1 My little sister is gifted in ____________. 내 여동생은 언어에 재능이 있다.
2 We should line up in ____________ of height. 우리는 키 순서대로 줄을 서야 한다.
3 They will ____________ the bathroom and kitchen. 그들은 욕실과 주방을 함께 사용할 것이다.
4 He tried to treat everyone ____________. 그는 모든 사람을 똑같이 대하려고 노력했다.

정답 및 해설 p27

3 Architecture

A 〈보기〉의 밑줄 친 space와 다른 의미로 쓰인 것은?

보기 The building is seven stories tall and has space for 500 employees.

① Most children dream about traveling into space.
② There is space for a sofa.
③ He really wants to have plenty of space.
④ There is not enough space in the room for two beds.
⑤ Your desk takes up too much space.

B 우리말과 일치하도록 〈보기〉에서 단어를 골라 문장을 완성하시오.

보기 handle normal weigh resemble

1 He asked her to ____________ his package. 그는 그녀에게 소포의 무게를 재달라고 했다.
2 Suddenly, the ____________ of the cup came off. 갑자기 컵의 손잡이가 떨어졌다.
3 My sister and I don't ____________ each other at all. 언니와 나는 전혀 닮지 않았다.
4 Sarah had a perfectly ____________ childhood. Sarah는 아주 평범한 어린 시절을 보냈다.

4 Academic

A 밑줄 친 단어와 반대되는 의미의 단어를 고르시오.

1 I collected the data to support the theory.
① assist ② oppose ③ help ④ encourage ⑤ depend

2 Both his actions and words were trustworthy.
① unreliable ② unrelated ③ generous ④ sincere ⑤ dependable

B 우리말과 일치하도록 〈보기〉에서 단어를 골라 문장을 완성하시오.

보기 note article submit conclusion

1 It's too late to ____________ your report. 보고서를 제출하기에는 너무 늦었다.
2 Nobody seemed to agree with the ____________. 아무도 그 결론에 동의하는 것 같지 않았다.
3 Please ____________ that the store will be closed on Sunday.
상점이 일요일에는 문을 닫는다는 점에 유의해 주십시오.
4 They wanted to know whether the ____________ was true or not.
그들은 그 기사의 사실 여부를 알고 싶어 했다.

어휘 재충전

1 Life

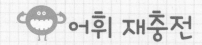

- □ consider v. 여기다, 생각하다
- □ optimist n. 낙천주의자
- □ pessimist n. 비관주의자
- □ successful a. 성공적인
- □ write down ~을 적다
- □ notice v. ~을 의식하다
- □ be grateful for ~에 감사하다
- □ train v. ~을 교육시키다
- □ achieve v. ~을 달성하다
- □ positive a. 긍정적인
- □ outcome n. 결과
- □ go wrong 실패하다, 어긋나다
- □ blame v. ~을 탓하다
- □ imagine v. ~을 상상하다

2 Language

- □ language n. 언어
- □ equally ad. 똑같이
- □ be related to ~와 관계가 있다
- □ share v. 공유하다
- □ root n. 뿌리, 근원
- □ in common 공동으로
- □ grammar n. 문법
- □ vocabulary n. 어휘
- □ order n. 순서
- □ subject n. 주어
- □ verb n. 동사
- □ object n. 목적어

3 Architecture

- □ take a look (한번) 보다
- □ located in ~에 위치한
- □ headquarters n. 본사, 본부
- □ story n. (건물의) 층
- □ space n. 공간, 장소
- □ employee n. 고용인
- □ handle n. 손잡이
- □ weigh v. 무게가 ~이다
- □ crooked a. 비뚤어진
- □ normal a. 정상적인
- □ mirror n. 거울
- □ be inspired by ~에 의해 영감을 받다
- □ fairytale n. 동화
- □ photograph v. ~의 사진을 찍다
- □ enormous a. 막대한, 거대한
- □ trunk n. (코끼리) 코
- □ resemble v. 닮다, 비슷하다
- □ recreation n. 오락

4 Academic

- □ be about to 막 ~하려고 하다
- □ research paper 연구 논문
- □ overwhelming a. 압도적인, 엄청난
- □ succeed v. 성공하다
- □ follow v. ~을 따르다
- □ brainstorm v. 브레인스토밍을 하다
- □ decide on ~에 대해 결정하다
- □ once conj. 일단 ~한다면
- □ article n. 글, 기사
- □ search v. 검색하다, 찾다
- □ make sure 확실하게 하다
- □ source n. 출처
- □ trustworthy a. 믿을 수 있는
- □ note v. 기록하다, 언급하다
- □ cite v. 인용하다
- □ outline n. 개요, 윤곽
- □ draft n. 초안, 원고
- □ introduction n. 도입
- □ body n. 본론, 본문
- □ conclusion n. 결론
- □ go over 검토하다
- □ refine v. 개선하다
- □ support v. 뒷받침하다
- □ proofread v. 교정을 보다
- □ correct v. 바로잡다
- □ punctuation n. 구두점
- □ submit v. 제출하다

Chapter 10

History

Food

Health

Science

1

History

When it comes to the ancient history of money, China was the birthplace of modern money. The Chinese started using cowrie shells as money around 3,000 years ago. But people living far inland couldn't get these sea shells easily. So they started making imitation shells from metal about 2,000 years ago. These were the first metal coins. Over the centuries, the coins gradually changed into flat disks with a hole in the middle. Traders carried them on strings. It was very difficult to travel long distances with thousands of coins on strings. To avoid this heavy burden, they started using paper instead. This was the world's first paper money.

*cowrie 별보배조개 *disk 동글납작한 원반

1 윗글의 주제로 가장 알맞은 것은?

① the difficulty of carrying coins
② the origin of money
③ the discovery of ancient coins
④ the material of coins
⑤ the use of the first paper money

서술형

2 윗글에서 밑줄 친 this heavy burden에 대한 해결책을 찾아 영어로 쓰시오.

____

어휘 충전

when it comes to ______	ancient a. ______	birthplace n. ______
shell n. ______	inland ad. ______	imitation n. ______
metal n. ______	over the centuries ______	gradually ad. ______
change into ______	flat a. ______	in the middle ______
trader n. ______	on a string ______	distance n. ______
avoid v. ______	burden n. ______	

Did you know that kiwi fruit has many genes in common with tomatoes and potatoes? They ____________________ millions of years ago. After the kiwi plant started to evolve separately from them, it experienced something strange. The kiwi plant's genome copied itself twice. Making an extra complete set of genes isn't harmful. What usually happens is that the extra genes mutate and start to develop new characteristics. For the kiwi, the changes helped to form some of the characteristics that make it such an important fruit to us today. It has remarkably high vitamin C and plenty of dietary fiber and minerals.

*genome 유전체(한 생물이 가지는 모든 유전 정보) *mutate 돌연변이를 일으키다

1 윗글의 빈칸에 들어갈 말로 가장 알맞은 것은?

① had the same parents ② disliked each other ③ had problems
④ made differences ⑤ kept themselves safe

서술형
2 윗글에서 키위의 유전자 변이가 가져온 특징을 찾아 우리말로 쓰시오.

____

어휘 충전

gene n. ________	in common with ________	evolve v. ________
separately ad. ________	experience v. ________	copy v. ________
extra a. ________	complete a. ________	harmful a. ________
characteristic n. ________	form v. ________	remarkably ad. ________
plenty of ________	dietary fiber ________	mineral n. ________

3 Health

Most people think that snoring is a minor thing, but actually it can cause serious health problems. It is dangerous because snorers suffer from obstructive sleep apnea (OSA). People with OSA frequently stop breathing during sleep. Their tongue and throat muscles relax and block the airway which is used to breathe. The OSA sufferer can stop breathing for up to a minute, and it can happen hundreds of times per night. OSA has also been linked to acid reflux, memory loss, depression, and heart disease. Fortunately, a simple solution is now available. It's a chin strap that supports the lower jaw and keeps the airway open. This strap will help lots of people to stop snoring, sleep better, and protect their health.

*obstructive sleep apnea (OSA) 폐쇄성 수면 무호흡증 *acid reflux 위산 역류

어휘 충전

snore v. ______	minor a. ______	cause v. ______
serious a. ______	snorer n. ______	suffer from ______
frequently ad. ______	breathe v. ______	throat n. ______
muscle n. ______	relax v. ______	block v. ______
airway n. ______	sufferer n. ______	up to ______
per prep. ______	be linked to ______	memory loss ______
depression n. ______	heart disease ______	available a. ______
support v. ______	jaw n. ______	protect v. ______

정답 및 해설 p29

1 윗글의 목적으로 가장 알맞은 것은?

① to ask ② to invite ③ to apologize
④ to inform ⑤ to complain

2 obstructive sleep apnea (OSA)에 관한 윗글의 내용과 일치하는 것은?

① 최근에 OSA로 인한 사망자가 증가하고 있다.
② OSA는 치료가 까다롭고 완치가 어려운 병이다.
③ OSA로 인해 심장병, 우울증 등이 발생할 수 있다.
④ OSA는 본인뿐 아니라 가족에게 주는 피해가 심각하다.
⑤ OSA로 인해 1분이 넘게 숨이 막히면 뇌사 상태에 빠질 수 있다.

서술형

3 윗글에서 밑줄 친 chin strap이 하는 일을 찾아 우리말로 쓰시오.

지식 채널

잠을 잘 자려면?

건강한 신체를 유지하기 위한 방법에는 운동, 식습관 개선, 풍부한 영양 섭취와 숙면 유지, 스트레스 관리 등이 있다. 특히 하루 평균 8시간 정도의 숙면을 취하는 것이 건강 유지에 도움이 되는데, 숙면을 취하는 방법에는 다음과 같은 것이 있다.

❶ 잠들기 전 공복 상태는 피하되, 카페인이 많은 음료나 짜고 매운 음식은 삼간다.
❷ 늦은 시간에 하는 운동은 자율신경을 흥분시켜 각성 상태가 될 수 있으니 적당하게 한다.
❸ 자신에게 맞는 베개의 높이를 선택하여 근육과 피로를 풀어준다.
❹ 적당한 실내 기온(18℃)을 유지하고 보온성이 있는 가벼운 이불을 사용한다.

4

Science

Light bulbs have lighted up the world for nearly 150 years. The light bulbs are still doing a good job of making light. But how do they work? Basically, a light bulb is a bubble of glass with very fine metal wire inside. The bubble is also filled with inert gas and is made airtight to keep oxygen out because oxygen would burn up the fine wire. An electric current heats the wire to a very high temperature, and this makes it glow. In fact, "heat bulb" may be a more suitable name than "light bulb," ______________ it turns nearly all its energy into heat. Thus, light bulbs are wasting a lot of energy as heat. That's why LED bulbs and other cool alternatives are slowly taking over. Soon, the humble light bulb will be no more.

*inert gas 불활성 기체(화학적으로 활발하지 않아 화합물을 잘 만들지 못하는 기체) *electric current 전류
*LED (light-emitting diode) 발광 다이오드(빛을 내는 반도체 물질)

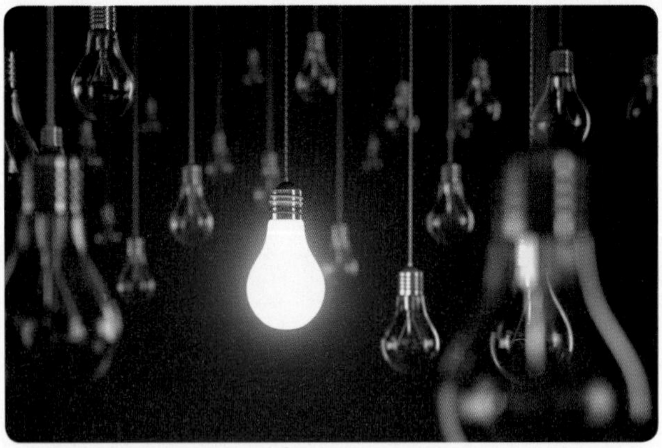

어휘 충전

light bulb ______	light up v. ______	basically ad. ______
bubble n. ______	fine a. ______	wire n. ______
be filled with ______	airtight a. ______	keep ~ out ______
oxygen n. ______	burn up v. ______	heat v. ______ n. ______
temperature n. ______	glow v. ______	suitable a. ______
turn A into B ______	alternative n. ______	take over ______
humble a. ______	be no more ______	since conj. ______

1 윗글의 제목으로 가장 알맞은 것은?

① How to Make Light
② How to Save Energy
③ Types of Light Bulbs
④ How Light Bulbs Work
⑤ Why People Use Light Bulbs

2 윗글의 빈칸에 들어갈 말로 가장 알맞은 것은?

① before ② when ③ if
④ since ⑤ until

서술형

3 윗글에서 다음 질문에 대한 답을 찾아 우리말로 쓰시오.

Why are LED bulbs and other alternatives slowly replacing light bulbs?

____

이미지 맵 글을 읽고, 빈칸을 완성하시오.

Title: (1)____________________

There is very (2)__________ metal wire in a light bulb, and the light bulb is (3)__________ inert gas.	The light bulb is made (4)__________ to keep oxygen out because oxygen would (5)__________ the wire.	An electric current heats the wire to a high temperature, and this makes it (6)__________.

Review Test

1 History

A 빈칸에 들어갈 알맞은 단어를 고르시오.

1 When it comes __________ swimming, Jason is the best.
수영에 관한 한 Jason은 최고이다.
① down ② at ③ to ④ in ⑤ from

2 The heat can change water __________ steam.
열은 물을 증기로 변화시킬 수 있다.
① for ② into ③ with ④ without ⑤ forward

B 우리말과 일치하도록 〈보기〉에서 단어를 골라 문장을 완성하시오.

보기 as ancient in the middle distance

1 The __________ Greeks loved to have a bath. 고대 그리스인들은 목욕하는 것을 좋아했다.
2 There is a huge hole __________ of the road. 도로 한 가운데에 커다란 구멍이 있다.
3 The __________ to the library is about 300 meters. 도서관까지의 거리는 약 300미터이다.
4 Mr. Smith felt responsibility for the students __________ a homeroom teacher.
Smith 씨는 담임으로서 그 학생들에 대해 책임감을 느꼈다.

2 Food

A 밑줄 친 단어와 반대되는 의미의 단어를 고르시오.

1 Fruit juice can be harmful to children's teeth.
① added ② painful ③ helpful ④ dangerous ⑤ negative

2 Some workers got together to form a labor union.
① design ② construct ③ shape ④ destroy ⑤ make

B 우리말과 일치하도록 〈보기〉에서 단어를 골라 문장을 완성하시오.

보기 plenty of separately experience complete

1 We know the experiment wasn't __________. 우리는 그 실험이 완전하지 않다는 것을 안다.
2 Help yourself. We have __________ food. 많이 드세요. 음식은 많이 있어요.
3 Cook each ingredient __________ and then put them into the pot.
각각의 재료를 따로 조리한 다음, 한 솥에 넣으시오.
4 You can __________ other cultures from this festival.
당신은 이 축제에서 다른 문화를 경험할 수 있습니다.

정답 및 해설 p30

3 Health

A 〈보기〉의 밑줄 친 minor와 같은 의미로 쓰인 것은?

보기 Most people think that snoring is a minor thing.

① We have a minor problem.

② I studied physics as a minor.

③ It is illegal to serve alcohol to minors.

④ Nathan is a minor league baseball player.

⑤ The first piece was *Sonata No. 24* in C minor.

B 우리말과 일치하도록 〈보기〉에서 단어를 골라 문장을 완성하시오.

보기 cause suffer relax block

1 They ____________ from a high-price policy. 그들은 높은 가격 정책으로 인해 고통을 받고 있다.

2 I got a massage to ____________ my muscles. 나는 근육을 풀어 주기 위해 마사지를 받았다.

3 Ryan came down and tried to ____________ the door. Ryan은 내려와서 그 문을 막으려고 했다.

4 Eating too much fast food can ____________ serious health problems.
패스트푸드를 너무 많이 먹는 것은 건강상 심각한 문제를 일으킬 수 있다.

4 Science

A 밑줄 친 단어와 비슷한 의미의 단어를 고르시오.

1 A light bulb is a bubble of glass with very fine metal wire inside.
① bright ② thin ③ cool ④ top ⑤ clear

2 He basically thinks people should share their problems with others.
① seriously ② essentially ③ additionally ④ frequently ⑤ obviously

B 우리말과 일치하도록 〈보기〉에서 단어를 골라 문장을 완성하시오.

보기 still temperature since alternative

1 There is no ____________ but to walk to the town. 그 마을로 걸어가는 것 말고는 대안이 없다.

2 Are you ____________ interested in joining the club? 당신은 여전히 동아리 가입에 관심이 있나요?

3 The ____________ in this room is suitable for sleeping. 이 방의 온도는 잠자기에 알맞다.

4 I couldn't do my assignment ____________ my brother broke my computer.
내 동생이 내 컴퓨터를 고장 냈기 때문에 나는 과제를 할 수 없었다.

어휘 재충전

1 History

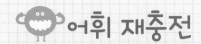

□ when it comes to ~에 관한 한
□ ancient a. 고대의
□ birthplace n. 발상지, 근원
□ shell n. 껍데기
□ inland ad. 내륙으로
□ imitation n. 모조(품)
□ metal n. 금속
□ over the centuries 수세기 동안
□ gradually ad. 점차
□ change into ~으로 바꾸다
□ flat a. 평평한
□ in the middle 가운데에
□ trader n. 상인
□ on a string 실에 꿰어서
□ distance n. 거리
□ avoid v. ~을 피하다, 막다
□ burden n. 짐

2 Food

□ gene n. 유전자
□ in common with ~와 마찬가지로
□ evolve v. 진화하다
□ separately ad. 별도로, 따로
□ experience v. 경험하다
□ copy v. 복제하다
□ extra a. 추가의
□ complete a. 완벽한
□ harmful a. 해로운
□ characteristic n. 형질, 특징
□ form v. 형성하다
□ remarkably ad. 몹시, 매우
□ plenty of 많은
□ dietary fiber 섬유질, 섬유소
□ mineral n. 무기질

3 Health

□ snore v. 코를 골다
□ minor a. 작은, 가벼운
□ cause v. 야기하다
□ serious a. 심각한
□ snorer n. 코 고는 사람
□ suffer from ~로 고통받다
□ frequently ad. 자주, 흔히
□ breathe v. 호흡하다
□ throat n. 목구멍
□ muscle n. 근육
□ relax v. (근육이) 이완되다
□ block v. 막다
□ airway n. (숨을 쉬는) 기도
□ sufferer n. 고통받는 사람, 환자
□ up to ~까지
□ per prep. ~마다
□ be linked to ~와 연관되다
□ memory loss 기억력 감퇴
□ depression n. 우울증
□ heart disease 심장 질환
□ available a. 이용할 수 있는, 유용한
□ support v. 지지하다
□ jaw n. 턱
□ protect v. 보호하다

4 Science

□ light bulb 백열전구
□ light up v. 불을 밝히다
□ basically ad. 기본적으로
□ bubble n. 방울
□ fine a. 가는, 미세한
□ wire n. 철사
□ be filled with ~로 가득 차다
□ airtight a. 밀폐된
□ keep ~ out ~이 들어가지 못하게 하다
□ oxygen n. 산소
□ burn up v. ~을 완전히 태우다
□ heat v. ~을 뜨겁게 하다 n. 열
□ temperature n. 온도
□ glow v. (은은히) 빛나다, 타다
□ suitable a. 알맞은, 적합한
□ turn A into B A를 B로 바꾸다
□ alternative n. 대안, 대체
□ take over ~을 대신하다
□ humble a. 변변치 않은
□ be no more ~이 없다
□ since conj. ~ 때문에

Memo

Memo

Memo

공감 READING

새 교과서 반영
중등 독해 시리즈
공부감각

넥서스영어교육연구소 지음

Answers

Level 3

NEXUS Edu

Chapter 01

1 Health p. 8

1 ③ 2 ⑤

지문 해석

건강과 다이어트를 위해서 많은 사람들이 '저지방' 음식을 고른다. 하지만 이 선택이 종종 더 많은 설탕을 함유하고 있다는 것을 알았는가? 1970년대에 비만과 당뇨병이 확산되기 시작했을 때, 전문가들은 고지방 음식이 그 질병을 야기한 것이라고 말했다. 그러고 나서 저지방 제품들이 출시되었다! 하지만 거기에는 그 제품들의 맛이 별로 좋지 않다는 문제가 있었다. 그 문제를 어떻게 해결했을까? 당분을 많이 넣어서 해결했다! 예를 들어, 일반 마요네즈에는 약 2%의 당분이 있지만, 저지방 상품에는 약 13%가 들어 있다. 그것은 거의 6배 많은 당분이다! 이는 어쨌든 우리 몸이 당분을 지방으로 저장하기 때문에 끔찍한 일이다. 그래서 지방을 당분으로 대체하는 것은 이로울 것이 없는 상황이다. 당신이 예상하지 못한 곳에 숨어 있는 당분을 주의해라.

문제 해설

1 저지방 식품이 일반 식품보다 당분이 많다는 내용이므로 저지방 식품의 진실이 제목으로 적절하다.
① 저지방 식품의 긍정적인 면
② 가장 잘 팔리는 저지방 상품
③ 저지방 식품의 진실
④ 지방 함량이 미치는 영향
⑤ 고지방 식품의 대체품

2 우리 몸은 당분을 단백질로 저장하는 것이 아니라 지방으로 저장한다.

어휘 충전

contain v. 포함하다, 함유하다 obesity n. 비만
spread v. 퍼지다, 확산되다 product n. 제품
hit the shelves (제품을) 출시하다 problem n. 문제
solve v. 풀다, 해결하다 add v. 더하다 ordinary a. 보통의
while conj. 반면에 brand n. 상표, 브랜드
terrible a. 끔찍한 store v. 저장하다 replace v. 대체하다
be aware of ~을 알다, 알아차리다

구문 분석

6행 **By** *adding* lots of sugar!
: by는 '~함으로써'라는 뜻으로 쓰였으며, 전치사의 목적어로는 명사구 형태가 온다.

7행 ~ **while** low-fat brands have about 13 percent
: while은 대조를 의미하는 접속사로 쓰여 '반면에'라고 해석한다.

8행 our bodies store sugar **as** fat anyway
: 역할, 자격을 의미하는 전치사로 쓰인 as로 '~로서'라고 해석한다.

9행 Be aware of *the sugar* that's hiding in *places* [**where** you might not expect it].
: that's hiding in places는 선행사 the sugar를 꾸며 주는 주격 관계대명사절이다.
: 관계부사 where가 이끄는 절이 선행사 places를 꾸며 준다.

2 Jobs p. 9

1 ②, ④
2 창의적인 사람들과 함께 일하고 훌륭한 행사를 무료로 관람하는 것

지문 해석

Lisa는 샌프란시스코 관광 협회의 문화예술부 마케팅 부장이다. 그녀는 평상시에 무슨 일을 할까? 그녀는 어떤 행사가 열리는지 알기 위해 박물관, 공연 예술 기관과 협조하여 일한다. 그녀는 관광 협회의 웹사이트와 관광객 안내 책자에 실을 가장 훌륭한 행사를 고른다. 그녀는 전 세계적으로 여행 작가를 발굴하고 그들이 행사에 대해 글을 써서 사람들이 샌프란시스코를 방문하는 데 흥미를 느낄 수 있게 한다. 무엇이 그녀를 그 직업에 적합하게 할까? 예술에 대한 열정과 다양한 프로젝트를 관리하는 능력이다. 가장 멋진 점은 무엇일까? 창의적인 사람들과 함께 일하고 훌륭한 행사를 무료로 관람하는 것이다! 가장 어려운 점은 무엇일까? 샌프란시스코에는 볼만한 훌륭한 행사가 너무 많다는 것이다. 무엇을 홍보할지 선택하는 것은 정말로 어렵다!

문제 해설

1 A passion for the arts and the ability to manage multiple projects.에서 예술에 대한 열정과 다양한 프로젝트 관리 능력이 그녀를 그 직업에 적합하게 했다는 것을 알 수 있다.

2 Working with creative people and seeing great events for free!에서 창의적인 사람들과 함께 일하고 훌륭한 행사를 무료로 관람하는 것이 가장 멋진 부분임을 알 수 있다.

어휘 충전

director n. 임원, 관리자 travel association 관광협회
on a normal day 평상시에 performing arts 공연 예술
find out 알아내다 come up (행사 등이) 다가오다
select v. 선택하다 feature v. 특별히 포함하다
suit v. 적합하다 passion n. 열정 ability n. 능력
manage v. 관리하다, 처리하다 multiple a. 다양한, 많은
creative a. 창의적인 for free 무료로 promote v. 홍보하다

구문 분석

3행 She works with museums and performing arts centers **to find out** / **what** events are coming up.

: to find out은 목적을 나타내는 to부정사의 부사적 용법이다.

: what이 이끄는 절이 find out의 목적어절을 이끌고, what은 의문형용사이다.

7행 She finds travel writers worldwide to [**write** about the events] *and* [**get** *people* excited to visit San Francisco].

: write와 get이 and로 연결된 병렬 구조로 write ~와 get ~이 연속적으로 일어나는 행동이다.

: 「get + 목적어 + 목적격보어」 구조로 사람들이 흥미를 느끼는 것이므로 excited가 왔다.

11행 San Francisco has *too many great events* **to see**.

: to see는 too many great events를 꾸며 주는 형용사적 용법으로 쓰였다.

12행 **Choosing** what to promote *is* really difficult!

: Choosing이 이끄는 동명사구가 주어이고, 동명사 주어는 단수 취급한다.

: 「what to + 동사원형」 무엇을 ~해야 할지

3 Stories p. 10

1 ④ 2 ⑤
3 it was not easy to carry her baby around

지문 해석

옛날 옛적에 엄마 캥거루와 새끼 캥거루가 늙고, 눈먼 웜뱃을 만났어요. 엄마 캥거루는 가엾은 웜뱃을 불쌍하게 여겨 그를 돕기로 결심했지만, 새끼를 데리고 다니면서 함께 웜뱃을 돕는 것은 쉽지 않았어요. 마침내 그들은 맛 좋은 풀을 발견했고 먹기 시작했어요. 그런데 갑자기 사냥꾼을 발견했어요. 엄마 캥거루는 사냥꾼에게 달려들어 쫓아버렸어요. 엄마 캥거루가 왔을 때 웜뱃은 변해 있었어요. 그는 위대한 신 Byamee였어요. 그는 지구에서 가장 마음씨 고운 동물을 찾기 위해 웜뱃으로 내려온 것이었어요. 그는 캥거루에게 멋진 선물을 주었어요. 그것은 나무껍질로 만든 앞치마였어요. 그가 앞치마를 캥거루의 허리에 묶자, 앞치마는 주머니로 변했어요. 이제 캥거루는 아기를 데리고 다니면서 항상 안전하게 지킬 수 있답니다.

문제 해설

1 힘든 상황이었음에도 불쌍한 웜뱃을 도와주고 선물을 받았다는 내용이므로 '다른 사람에게 준 만큼 받는다.'는 속담이 적절하다.
① 정직이 최선의 정책이다.
② 눈에서 멀어지면, 마음에서도 멀어진다.
③ 쉽게 얻은 것은 쉽게 나간다.
④ 다른 사람에게 준 만큼 받는다.
⑤ 같은 깃털의 새들은 함께 모인다. (유유상종)

2 엄마 캥거루가 웜뱃을 만났고, 웜뱃을 위해 사냥꾼을 쫓아버린 후, 웜뱃이 신으로 변해서 엄마 캥거루에게 선물을 주었으므로 (D) – (B) – (A) – (C) 순서이다.
(A) 웜뱃은 위대한 신, Byamee로 변했다.
(B) 엄마 캥거루가 사냥꾼을 쫓아버렸다.
(C) 엄마 캥거루는 Byamee로부터 선물을 받았다.
(D) 엄마 캥거루는 불쌍한 웜뱃을 만났다.

3 It(가주어), to부정사(진주어) 구문: 「It + be동사 ~ to + 동사원형」

어휘 충전

blind a. 눈이 먼 feel sorry for ~을 가엾게 여기다
decide v. 결심하다 carry v. 데리고 다니다, 나르다
at the same time 동시에 finally ad. 마침내
grass n. 잔디, 풀 hunter n. 사냥꾼 jump at 달려들다
chase ~ away ~을 쫓아내다 return v. 돌아오다
search for ~을 찾다 made from ~로 만든 tie v. 묶다
waist n. 허리 turn into ~으로 변하다 pouch n. 주머니

구문 분석

9행 He **had come** as a wombat **to search** for the kindest animal on earth.

: 과거완료는 「had + 과거분사」 형태로 나타내며, 특정 과거 시점 이전에 발생한 일을 의미할 때 쓴다.

: to search는 목적을 나타내는 to부정사의 부사적 용법이다.

10행 It was *an apron* (which was) [made from tree bark].

: made가 이끄는 구가 an apron을 꾸며 주고, apron과 made 사이에 「주격 관계대명사 + be동사」를 넣어보면 쉽게 이해할 수 있다.

4 Technology p. 12

1 (1) ⓑ, ⓔ, ⓕ (2) ⓐ, ⓒ, ⓓ 2 ② 3 ⑤

이미지 맵

(1) negative (2) the 1990s
(3) desire (4) computer geeks

지문 해석

스티브 잡스와 빌 게이츠가 20대에 해커였다는 것을 알았는가? 그때는 '해커'라는 말에 부정적인 의미가 없었다. 해커는 단지 끊임없이 컴퓨터를 가지고 놀고, 컴퓨터에 대해 모든 것을 알고 있고, 컴퓨터로 무엇이든지 할 수 있는 사람을 뜻했다. 후에 월드 와이드 웹이 발달하면서 해커는 또 다른 의미를 갖게 되었다. 1990년대에 해커는 컴퓨터 시스템에 침입해서 바이러스를 심고, 비밀 정보를 훔쳐 대규모의 파괴를 야기하는 사람을 뜻했다. '해커'라는 말에 부정적인 의미가 있을지라도, 본래 의미 또한 남아 있다. 해커들은 좋은 일과 나쁜 일을 모두 한다. 왜냐하면 그들은 사물이 어떻게 작동하는지 알고 싶어 하는 커다란 바람을 가지고 있기 때문이다. 그들은 여전히 새로운 코드를 시도하려 하고 감춰진 문제점과 비밀을 찾고 있다. 우리가 사이버테러리스트를 소심해야 하긴 하지만, 대다수의 해커는 그저 매우 호기심이 많고 모험심이 강한 컴퓨터광이라는 것을 기억해라.

문제 해설

1 original meaning은 긍정적인 의미이고 additional meaning은 부정적인 의미이다.
ⓐ 비밀 정보를 훔치는 사람
ⓑ 끊임없이 컴퓨터를 가지고 노는 사람
ⓒ 바이러스를 심는 사람
ⓓ 대규모 파괴를 일으키는 사람
ⓔ 컴퓨터로 무엇이든 할 수 있는 사람
ⓕ 컴퓨터에 대해 모든 것을 아는 사람

2 해커가 부정적인 의미를 가지고 있지만 본래 의미 또한 남아 있다고 했으므로, 양보의 접속사 even though가 적절하다.
① 그러므로 ② 비록 ~일지라도 ③ 예를 들어
④ 게다가 ⑤ 때문에

3 remember that the majority of hackers are simply very curious and adventurous computer geeks에서 글쓴이가 독자에게 당부하는 내용을 알 수 있다.

어휘 충전

negative a. 부정적인 back then 그때는
constantly ad. 끊임없이 take on ~를 취하다, 가지다
later ad. 후에, 나중에 break into 침입하다
plant v. ~을 심다 cause v. ~을 야기하다 mass a. 대규모의
destruction n. 파괴 original a. 원래의 remain v. 남아 있다
huge a. 거대한 desire n. 바람, 욕망 still ad. 여전히
hidden a. 숨겨진, 감춰진 while conj. ~이긴 하지만
beware of ~을 주의하다 terrorist n. 테러리스트
remember v. 기억하다 majority of 다수의
curious a. 호기심이 많은 adventurous a. 모험심 많은

구문 분석

2행 It just meant *someone* [**who plays** with computers constantly, **knows** everything about computers, *and* **can** make computers do anything].
: 주격 관계대명사 who가 이끄는 절이 선행사 someone을 꾸며 준다.
: plays ~ constantly, knows ~ computers, can ~ anything이 and로 연결된 병렬 구조이다.

5행 ~, **as** the World Wide Web grew
: as는 접속사로 '~함에 따라'라는 의미이다.

6행 "hacker" could mean *someone* [**who breaks** into computer systems, **plants** viruses, **steals** secret information, *and* **causes** mass destruction]
: 주격 관계대명사 who가 이끄는 절이 선행사 someone을 꾸며 준다.
: breaks ~ systems, plants viruses, steals ~ information, causes ~ destruction이 and로 연결된 병렬 구조이다.

10행 they have *a huge desire* [**to know** / **how** things work]
: to know는 a huge desire를 수식하는 형용사적 용법으로 쓰였다.
: 의문사 how가 to know의 목적어절을 이끈다.

10행 they *keep* [**trying** new code] *and* [**searching** for hidden problems and secrets]
: keep은 동명사를 목적어로 취하는 동사로, trying과 searching이 and로 연결된 병렬 구조이다.

Review Test p. 14

1 A 1 ⑤ 2 ③
B 1 Ordinary 2 store 3 spread 4 replace

2 A 1 ② 2 ③
B 1 for free 2 manage 3 passion 4 featured

3 A ⑤
B 1 made from 2 blind 3 carrying 4 search for

4 A 1 ② 2 ③
B 1 curious 2 constantly 3 remain 4 majority

Chapter 02

1 Culture p. 18

1 ④ 2 hung, protect, nightmares

지문 해석

드림캐처는 아메리카 원주민 문화에서 온 가장 흥미로운 물건 중 하나이다. 드림캐처는 깃털이 달려 있고, 중앙에 그물이 있는 고리이다. 전통적으로 엄마들은 자녀들을 악몽으로부터 지켜주기 위해 드림캐처를 만들어 주었다. 밤공기가 좋은 꿈과 나쁜 꿈으로 채워져 있다고 믿었다. 아이의 침대 위에 달린 드림캐처는 좋은 꿈을 붙잡는다. 좋은 꿈은 그물 안의 구멍을 통과하고, 아래에서 자고 있는 아이에게로 깃털을 타고 미끄러져 내려간다. 나쁜 꿈은 통과하지 못한다. 대신에 나쁜 꿈은 그물 안에 갇혀서 아침 해의 첫 햇살에 사라지게 된다.

문제 해설

1 나쁜 꿈은 평생 그물 안에 갇히는 것이 아니라 다음 날 아침 태양 빛에 사라지게 된다.

2 Traditionally, mothers made them for their children to protect against nightmares. A dream catcher hung above a child's bed would catch the good dreams.에서 빈칸의 답을 찾을 수 있다.
침대 위에 달린 드림캐처는 잠자는 아이들을 악몽으로부터 지켜주기 위해 사용된다.

어휘 충전

fascinating a. 대단히 흥미로운 object n. 물건, 물체
Native American 북미 원주민(의) culture n. 문화
hoop n. 고리 feather n. 깃털 attached a. 부착된
web n. 망, 거미줄 traditionally ad. 전통적으로
protect v. 보호하다 nightmare n. 악몽
be filled with ~로 가득 차다 hang v. 걸다, 매달다
slip through ~을 통과하다 hole n. 구멍
slide down 미끄러져 내려가다 trap v. 가두다, 끼이다
ray n. 광선

구문 분석

1행 Dream catchers are **one of the most fascinating objects** from Native American culture.
:「one of the + 최상급 + 복수 명사」 가장 ~한 … 중 하나

2행 A dream catcher is *a hoop* **with** [feathers attached] *and* [a web in its middle].
: feathers attached와 a web ~ its middle이 and로 연결된 병렬 구조이다.

5행 **It** was believed **that** the night air was filled with dreams, both good and bad.
: It은 가주어, that 이하는 진주어로 쓰인 구문이다.

7행 *A dream catcher* hung above a child's bed would catch the good dreams.
: hung above a child's bed는 앞의 명사 a dream catcher를 꾸며 주는 과거분사구이다.

9행 ~ the child **asleep** below
: asleep은 '자고 있는'이라는 뜻의 형용사로 명사의 뒤에서 수식해 준다.

2 Psychology p. 19

1 ② 2 ②

지문 해석

창의력을 향상시키고 싶은가? 그럼 이 간단한 세 가지 조언을 한번 시도해 보아라. 첫째, 책상을 조금 지저분하게 해 놓아라. 심리과학 학술지에 실린 연구에 따르면, 약간 지저분한 책상에서 공부하는 학생들이 매우 정돈된 책상에서 공부하는 학생들보다 좋은 의견을 낸다고 한다. 둘째, 당신이 바라보는 주된 색깔을 파란색으로 만들어라. 브리티시 콜롬비아 대학의 한 연구에서 학생 600명의 독창적인 문제 해결 능력을 검사했다. 파란색 배경의 학생들이 빨간색 배경의 학생들보다 독창적인 아이디어를 두 배 많이 생각해 냈다. 셋째, 불빛을 낮추어라. 환경 심리학 저널에 실린 연구에 따르면 불빛이 어두운(150 lux) 방에서 공부한 학생들이 불빛이 밝은(1,500 lux) 방에서 공부한 학생들보다 문제를 잘 풀었다.

문제 해설

1 창의적인 생각을 하는 방법에 대해 이야기하고 있다.
① 집을 꾸미고 싶은가?
② 창의력을 향상시키고 싶은가?
③ 과학에서 좋은 성적을 받고 싶은가?
④ 풍부한 상식을 지니고 싶은가?
⑤ 교실을 편안하게 만들고 싶은가?

2 simple tips의 세 가지 내용은 '책상을 지저분하게 하라', '파란색을 보아라', '불빛을 낮추어라'이다.

어휘 충전

messy a. 지저분한 publish v. 게재하다, 싣다
psychological a. 심리의 slightly ad. 약간, 조금
tidy a. 깔끔한, 정돈된 main a. 주된
problem-solving 문제 해결 ability n. 능력
produce v. 생산하다 turn down 낮추다
dimly lit a. 불빛이 어둑한 brightly lit a. 불빛이 밝은
boost v. 북돋우다, 높이다 creativity n. 창의력
common sense 상식

구문 분석

3행 *students* [**who** worked at slightly messy desks] produced **better** ideas **than** *students* [**who** worked at very tidy desks]

: 각각의 주격 관계대명사 who가 이끄는 절이 비교 대상이 되는 선행사 students를 꾸며 준다.

5행 Second, **make** blue the main color **that** you look at.

: 「make + 목적어 + 목적격보어(명사)」는 '~을 …으로 만들다'는 뜻의 5형식 문장이다.

: that은 the main color를 선행사로 하는 목적격 관계대명사이다.

7행 The blue-background students produced **twice as** many creative ideas **as** the red-background students.

: 「배수사 + 동등 비교」 …보다 몇 배 더 ~하다

9행 A study published in the Journal of Environmental Psychology **found that** students [who worked in a dimly lit room (150 lux)] solved more problems than **those** in a brightly lit room (1,500 lux).

: that 이하는 동사 found의 목적어 역할을 하는 명사절이다.

: who 이하는 students를 선행사로 하는 주격 관계대명사절이며, those는 앞의 students who worked를 대신한다.

3 Information p. 20

1 ① 2 ② 3 ②

지문 해석

누가 자동차의 가운데 뒷좌석에 앉고 싶어 하는가? 대답은 대개 '아무도 없다'일 것이다. 십 대들은 그 자리가 멋지지 않다고 생각하고, 어른들은 불편하다고 생각한다. 그것이 차에서 가장 어린 사람이 거의 언제나 그 자리에 앉는 이유이다. 그런데, 여기에 흥미로운 소식이 있다. 차 안에서 가장 인기 없는 좌석이 뜻밖에도 가장 안전한 좌석이다. 도로교통안전위원회가 자동차 충돌에 관해 연구했는데 뒷좌석이 앞 좌석보다 60%에서 85% 더 안전하다는 것을 알아냈다. 더구나, 뒷좌석 가운데 앉은 승객은 양옆 좌석에 앉은 승객보다 25% 더 안전하다. 이는 가운데 좌석이 더 큰 '크러시 존'을 가지기 때문이다. 자동차의 크러시 존은 충돌로부터 오는 충격의 일부를 흡수하기 위해 찌그러지도록 고안된 차의 부분이다.

문제 해설

1 자동차에서 가장 안전한 좌석과 그 이유에 대해 이야기하고 있다.
① 자동차에서 가장 안전한 좌석은 어디인가?
② 왜 안전벨트를 해야만 하는가?
③ 왜 유아용 카시트가 중요한가?
④ 운전을 배우는 가장 좋은 방법은 무엇인가?
⑤ 자동차 충돌 사고에서 어떻게 피해를 줄일 수 있는가?

2 자동차의 뒷좌석은 앞 좌석보다 60%~85% 더 안전하다.

3 주어진 문장은 자동차의 뒷좌석 가운데에 앉기를 싫어하는 이유이다. 따라서 자동차의 뒷좌석 가운데에는 아무도 앉고 싶어 하지 않는다는 내용 다음에 오는 것이 적절하다.

어휘 충전

back seat (차량의) 뒷좌석 mostly ad. 주로, 대부분
unpopular a. 인기 없는 happen v. 우연히 ~하다, 발생하다
motor vehicle 자동차 crash n. 사고 v. 충돌하다
what's more 더구나 passenger n. 승객
collapse v. 무너지다, 붕괴하다 in order to ~하기 위하여
absorb v. 흡수하다 impact n. 충격, 영향
uncool a. 멋지지 않은 uncomfortable a. 불편한

구문 분석

1행 Who wants **to sit** in the middle back seat in a car?

: to sit은 to부정사의 명사적 용법으로 want의 목적어 역할을 한다. want는 to부정사만을 목적어로 취하는 동사 중 하나이다.

3행 **That's why** the youngest person in the car almost always sits there.

: That's why는 '그것이 ~하는 이유이다'라는 뜻이다.

9행 **What's more**, passengers in the middle back seat are 25 percent safer than **those** in the side seats.

: What's more는 '게다가, 한 술 더 떠서'라는 뜻이다.

: those는 앞의 passengers를 대신한다.

11행 A car's crush zone is *the area of the car* designed to collapse in order to absorb some of the impact from a crash.

: designed 이하는 앞의 the area of the car를 꾸며 주는 과거분사구이다.

4 Education p. 22

1 ③ 2 ②

3 많은 사람들이 그 사실을 알게 되고, 괴롭힌 사람은 쉽게 익명으로 남을 수 있다는 것

이미지 맵

(1) electronic (2) online

(3) everyone knows (4) contact

지문 해석

사이버 폭력은 누군가를 괴롭히기 위해 전자통신을 이용하는 것이다. 이는 문자, 채팅, 인스턴트 메시지, 이메일, 소셜 미디어 사이트에서 댓글달기 등으로 행해질 수 있다. 기본적으로 사이버 폭력은 온라인에서 행해지는 괴롭힘이다. 이는 예전 방식의 괴롭힘보다 더 해롭다고 여겨진다. 차이점은 사이버 폭력은 어느 때나, 어느 곳에서나 일어날 수 있다는 것이다. 수많은 사람이 볼 수 있고, 괴롭히는 사람은 쉽게 익명으로 남을 수 있다. 이것은 피해자들을 훨씬 더 힘들게 만든다. 그들은 종종 혼자 남겨졌다고 느끼고, 자신이 괴롭힘을 당한 것을 '모든 사람이 알고 있다'는 느낌에 휩싸인다. 그럼, 우리가 사이버 폭력을 방지하기 위해 무엇을 할 수 있을까? 전문가들은 아이들이 좀 더 공개적으로 말해야 한다고 이야기한다. 부모님과 신뢰할 수 있는 선생님에게 그것에 관해 말해 보아라. 그리고 웹사이트나 서비스 공급자에게 연락해 보아라. 대부분의 인터넷 회사는 사이버 폭력을 매우 심각하게 받아들이고, 그것을 막는 데 있어서는 최고이다. 사이버 폭력을 막아보자!

문제 해설

1 대부분의 인터넷 회사는 사이버 폭력을 매우 심각하게 받아들이고, 사이버 폭력을 제일 잘 막는다고 했으므로 사이버 폭력에 대한 대처가 미흡하다고 할 수 없다.

2 경찰에 바로 신고하라는 내용은 언급되지 않았다.

3 This는 바로 앞 문장 It can reach a huge audience, and the bullies can easily remain anonymous.를 의미한다.

어휘 충전

bully v. 괴롭히다 n. 약자를 괴롭히는 사람
electronic a. 전자의 cruel a. 잔인한 text v. 문자를 보내다
chat v. (인터넷으로) 대화하다
instant message v. (인터넷으로) 메시지를 보내다
comment v. 논평하다 basically ad. 기본적으로
harmful a. 해로운 old-fashioned a. 구식의
audience n. 청중, 관중 anonymous a. 익명인
victim n. 피해자, 희생자 overwhelmed a. 압도된
speak out 공개적으로 말하다 contact v. 연락하다
provider n. 공급자 seriously ad. 심각하게

구문 분석

1행 Cyber bullying is **using** electronic communication to be cruel to someone.

: using 이하는 동명사구로 이 문장에서 보어 역할을 한다.

4행 Basically, it's *bullying* **that** happens online.

: that은 bullying을 선행사로 하는 주격 관계대명사이다.

5행 The difference is **that** cyber bullying can happen anytime and anywhere.

: that은 명사절을 이끄는 접속사로 that 이하는 문장의 보어 역할을 한다.

8행 They often feel alone and overwhelmed by the feeling **that** "everyone knows" about the bullying.

: that은 동격의 접속사로 앞의 feeling과 that 이하의 내용이 같다는 의미이다. 동격의 that 뒤에는 완전한 문장이 온다.

9행 So, what can we do **to stop** it?

: to stop은 '~하기 위해'라는 뜻으로 to부정사의 부사적 용법이다.

Review Test p. 24

1 A 1 ② 2 ④
B 1 was filled with 2 hung 3 trapped 4 protect

2 A 1 ⑤ 2 ②
B 1 turn down 2 creativity 3 slightly 4 ability

3 A ④
B 1 passengers 2 uncomfortable 3 impact 4 absorb

4 A 1 ① 2 ②
B 1 contact 2 audience 3 victim 4 seriously

Chapter 03

1 Stories p. 28

1 ② 2 ⑤

지문 해석

1500년대 말 영국에서는 오직 부자들만이 설탕을 먹었는데, 이는 설탕이 귀하고 매우 비쌌기 때문이다. 영국의 엘리자베스 여왕 1세는 설탕이 든 음식과 달콤한 음료를 좋아했다. 그녀는 설탕을 아주 많이 먹어서 치아가 빨리 썩었다. 치아 중 몇 개는 빠졌고, 나머지는 검게 변했다. 금세 검은 치아가 영국 여성들 사이에서 크게 유행했다. 그들은 사람들이 "그녀는 매우 부유한 것이 틀림없어!"라고 생각할 수 있도록 이를 검게 칠했다. 비슷한 유행은 고대 일본에도 있었다. 노예들은 설탕을 먹지 않아 건강한 하얀 치아를 가지고 있었기 때문에, 남녀 귀족들은 노예처럼 보이지 않기 위해서 이를 검은색으로 칠했다.

문제 해설

1 고대 일본에서는 노예들이 설탕을 먹지 않아 하얀 치아를 가지고 있었기 때문에, 귀족들이 노예처럼 보이지 않기 위해 치아를 검은색으로 칠했다.

2 영국 여성들은 자신이 단 음식을 많이 먹어 이가 검어질 정도로 부유하다는 것을 보여주기 위해 이를 검게 칠하였다.
① 그녀는 깔끔한 사람임이 틀림없어
② 그녀는 매우 가난한 것이 틀림없어
③ 그녀는 매우 아픈 것이 틀림없어
④ 그녀는 이를 닦아야만 해
⑤ 그녀는 매우 부유한 것이 틀림없어

어휘 충전

rare a. 진귀한, 드문 expensive a. 비싼 sugary a. 설탕이 든
sweetened a. 설탕을 넣은 drink n. 음료, 마실 것
consume v. 먹다, 마시다 decay v. 썩다 fall out 떨어져 나가다
fashion n. 유행, 인기 similar a. 비슷한 exist v. 존재하다
ancient a. 고대의 nobility n. 귀족 slave n. 노예
tidy a. 깔끔한 wealthy a. 부유한

구문 분석

1행 In England in the late 1500s, only rich people ate sugar, **since** it was rare and very expensive.
: since는 '~때문에'라는 뜻의 이유를 나타내는 접속사이다.

4행 She consumed **so** much sugar **that** her teeth quickly decayed.
: 「so ~ that …」은 '매우 ~하여 …하다'라는 결과의 의미를 나타낸다.

5행 Some of them fell out, and the others became black.
: 「some ~, the others ~」에서 some은 여러 개 중 일부를, the others는 나머지 모두를 가리킨다.
cf.) 몇 개(some)를 선택하고 그 나머지가 확실하지 않을 때는 others를 사용한다.

7행 They painted their teeth black **so that** other people might think, "She **must be** very wealthy!"
: so that은 '~하기 위해서'라는 뜻으로 목적을 나타낼 때 쓰인다.
: must be는 '~임이 틀림없다'라는 뜻으로 강한 추측을 나타낼 때 쓰인다.

9행 Men and women of the nobility **painted** *their teeth* black ~
: 5형식 구문의 「동사 + 목적어 + 목적격보어」 형태이다.

2 Origin p. 29

1 ③ 2 ⑤

지문 해석

5000년 전, 이집트 사람들은 숫자 10을 기본으로 하는 계산 체계를 사용했다. 이집트인들은 단위를 대표하는 특별한 상징들을 사용했다. 수직선은 단일 단위나 1을 나타냈다. 뒤집어진 U모양은 10을, 고리 모양으로 감긴 밧줄은 100을, 연꽃은 1,000을, 위를 가리키는 손가락은 10,000을, 개구리는 100,000을, 팔을 위로 올리고 있는 신은 1,000,000을 나타냈다. 사실, 백만은 고대 이집트인들에게 매우 엄청나 보였기 때문에 '어떤 막대한 수'를 의미하기도 했다. 그 체계는 이해하기 간단했고, 덧셈과 뺄셈을 하기 쉬웠다. 하지만 이것은 심화된 계산은 거의 불가능하게 했다. 놀라운 것은 이집트인이 그렇게 간단한 수학 방식을 사용해서 대 피라미드와 같은 불가사의한 것들을 만들어냈다는 것이다.

문제 해설

1 ① 숫자 10을 기본으로 한다.
② 위를 가리키는 손가락은 10,000을 의미한다.
④ 덧셈과 뺄셈에 사용하기 쉬웠다.
⑤ 심화된 계산은 불가능했다.

2 300,000은 십만을 나타내는 개구리 모양의 문자가 세 개 나와야 한다.

어휘 충전

Egyptian a. 이집트의 n. 이집트 사람 counting n. 셈, 계산
based on ~에 근거하여 symbol n. 상징, 기호
represent v. 나타내다, 대표하다 unit n. 단위
vertical a. 수직의 single a. 하나의
upside-down a. 뒤집힌 coiled a. 휘감긴
upwards ad. 위쪽으로 million n. 100만
enormous a. 거대한, 막대한 addition n. 덧셈
subtraction n. 뺄셈 on the other hand 반면에
advanced a. 진보한 calculation n. 계산
accomplish v. 완수하다, 해내다 wonder n. 불가사의

구문 분석

2행 The Egyptians used *special symbols* to represent units.

: to represent는 앞의 명사 special symbols를 꾸며 주는 역할로 to부정사의 형용사적 용법이다.

7행 because it **seemed so huge** to the ancient Egyptians

: 「seem + 형용사」는 '~한 것처럼 보이다'는 뜻으로 「seem to be + 형용사」로 쓰일 수도 있다.

7행 The system was simple **to understand** and easy **to use** for addition and subtraction.

: to understand와 to use는 각각 simple과 easy를 꾸며 주는 to부정사의 부사적 용법으로 '~하기에 …하다'로 해석한다.

9행 **On the other hand**, it made more advanced calculations nearly impossible.

: on the other hand는 '다른 한편으로는, 반면에'라는 뜻의 접속부사로 역접의 의미를 지닌다.

10행 What's amazing is **that** the Egyptians accomplished wonders, such as the Great Pyramids, **using such a simple form of math**.

: that은 명사절을 이끄는 접속사로 that 이하는 문장의 보어 역할을 하고 있다.

: using 이하는 분사구문으로 '그렇게 간단한 수학 계산을 사용해서', 또는 '그렇게 간단한 수학 계산을 사용했음에도'라고 해석할 수 있다.

3 Law p. 30

1 ④ 2 ⑤
3 it's illegal for foreigners to do so

지문 해석

법은 항상 타당하고 이해할 수 있는 것인가? 물론 그렇지 않다! 사실, 세상에는 정말로 이상한 법이 다소 있다. 여기 몇 가지 예가 있다.

스위스에서는 대변을 보기 전에 먼저 생각해야 한다! 아파트에서 오후 10시 이후에 화장실 물을 내리는 것은 불법이다. 정부는 소음이 반사회적이라고 말한다. 하지만 냄새는 어떻게 할 것인가?

덴마크에서는 차에 시동을 걸기 전에 당신의 차 밑을 확인하라. 왜 그렇게 해야 하나? 당신은 차 아래에 아이가 없다는 것을 반드시 확인해야 한다. 하지만 만약 확인하는 것을 잊어버려서 체포되었다고 해도 걱정하지 마라. 덴마크에서는 감옥에서 탈출하는 것이 범죄가 아니다!

만약 당신이 케냐에 있는 사파리에 간다면, 알몸으로 다니지 마라! 케냐 시민들은 국립공원에서 옷을 벗을 수 있지만, 외국인이 그렇게 하는 것은 불법이다. 우리는 그들이 그렇게 하지 말아야 하는 많은 다른 이유를 생각해 낼 수 있다!

문제 해설

1 상식적이지 않은 특별한 법을 나라별로 예를 들어 설명하고 있다.
① 새로운 국제법 ② 엄격한 법이 필요한 이유
③ 유럽의 오래된 전통 ④ 세계의 이상한 법
⑤ 범죄를 예방하는 최상의 방법

2 덴마크에서는 자동차의 시동을 걸기 전에 자동차 밑에 아이가 있는지 확인해야 하므로 Peter가 법을 어긴 것이다.

3 「It is + 형용사 + for 행위자 + to부정사」 형태로 to부정사의 의미상의 주어는 to부정사 바로 앞에 온다.

어휘 충전

law n. 법 reasonable a. 타당한
understandable a. 이해할 수 있는 odd a. 이상한
Switzerland n. 스위스 poop v. 대변을 보다
flush v. 물을 내리다 illegal a. 불법적인
government n. 정부 anti-social a. 반사회적인
Denmark n. 덴마크 start an engine 시동을 걸다
make sure 반드시 ~하다 get arrested 체포되다
crime n. 범죄 escape from ~에서 탈출하다 jail n. 감옥
go v. (~의 상태로) 되다 nude a. 나체의
take off (옷을) 벗다 national a. 국가의
foreigner n. 외국인 international a. 국제적인
strict a. 엄격한 tradition n. 전통 weird a. 이상한
prevent v. 예방하다

구문 분석

4행 **Flushing** the toilet in apartments is illegal after 10 pm.

: Flushing the toilet in apartments는 동명사구로 문장의 주어 역할을 한다.

7행 You **have to make sure** (that) no children are under there.

: have to는 '~해야 한다'라는 뜻의 조동사로 동사원형이 뒤에 오며, must로 대체될 수 있다.

: make sure는 '~하는 것을 확실히 하라'는 뜻으로 뒤에 that이 생략되었다.

8행 if you **forget to look** and you get arrested, ~

: forget은 목적어로 to부정사와 동명사를 모두 취할 수 있으나 의미가 달라진다. 「forget+to부정사」는 '~할 것을 잊다'는 뜻으로 미래의 행위를 의미하며, 동명사가 올 경우 '~했던 것을 잊다'는 뜻으로 과거의 행위를 의미한다.

9행 **It**'s not a crime in Denmark **to escape** from jail!

: It은 가주어, to escape 이하가 진주어이다.

13행 We can think of *many other reasons* **why** they shouldn't!

: why 이하는 관계부사절로 앞의 선행사 many other reasons를 수식하고 있다.

4 Health p. 32

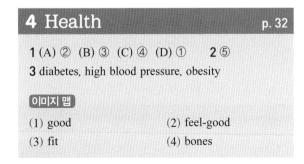

1 (A) ② (B) ③ (C) ④ (D) ① 2 ⑤
3 diabetes, high blood pressure, obesity

이미지 맵

(1) good (2) feel-good
(3) fit (4) bones

지문 해석

모든 사람이 '운동은 당신에게 유익하다'라고 말한다. 더없이 맞는 말이다. 매일 상당히 격렬한 운동을 최소한 30분 동안 하는 것은 우리 모두가 해야만 하는 것이다. 여기 운동을 해야 하는 네 가지 이유가 있다.

- 운동은 당신의 감정에 좋다. 당신이 30분 혹은 그 이상 동안 심장 박동 수를 올리면, 당신의 몸은 '기분을 좋게 해 주는' 화학 물질을 만든다. 당신은 심지어 더없는 행복감이나 '러너스 하이'도 경험하게 될지도 모른다.
- 운동은 당신을 더 잘생겨 보이게 해 준다. 운동은 열량을 태우고, 근육을 만들어 준다. 모든 사람은 건강한 체중을 유시하기를 원한다. 게다가 날씬하고 근육질의 몸은 멋진 것이다.
- 운동은 질병으로부터 보호한다. 운동 부족은 당뇨병, 고혈압, 비만으로 이어진다. 이 질병은 성인의 문제였지만, 점점 10대에게 더 흔한 문제가 되고 있다.
- 운동은 당신이 나이를 잘 먹도록 도와준다. 걷기, 달리기, 뜀뛰기는 튼튼한 뼈를 만들어 준다. 튼튼한 뼈는 행복한 노후를 보장한다.

문제 해설

1 (A) 운동이 우리의 감정에 미치는 영향에 대한 내용이다.
(B) 운동을 하면 날씬해지고 근육질의 몸매를 가질 수 있다고 했으므로 외모에 대한 내용이다.
(C) 운동과 질병의 관계에 대한 내용이다.
(D) 운동을 하면 노후가 보장된다는 내용이다.

2 운동과 피부의 관계에 대해서는 언급되지 않았다.

3 Lack of exercise leads to diabetes, high blood pressure, and obesity.에서 운동 부족이 세 가지 증상으로 이어질 수 있음을 알 수 있다.

어휘 충전

fairly ad. 상당히, 꽤 strenuous 격렬한
aim for 목표하여 나아가다 push A up A를 밀어 올리다
heart rate 심박수 produce v. 생산하다
feel-good a. 기분 좋게 해주는 chemical n. 화학 물질
bliss n. 더없는 행복 burn v. 태우다 muscle n. 근육
fit a. 건강한 muscular a. 근육질의 disease n. 질병
lack of ~의 부족 lead to ~로 이어지다
high blood pressure 고혈압 obesity n. 비만
common a. 흔한 age v. 나이가 들다 n. 나이
guarantee v. 보장하다

구문 분석

1행 At least 30 minutes of fairly strenuous exercise every day is **what** we should all aim for.

: what은 선행사를 포함한 관계대명사로 what 이하는 문장에서 보어 역할을 하고 있다.

11행 They **used to be** adult problems, but they're becoming more common in teens.

: used to는 '(과거에) ~하곤 했다, ~이었다'라는 의미로 뒤에 동사원형이 온다.

13행 **Walking**, **running**, and **jumping** *build* strong bones.

: Walking, running, jumping이 and로 연결된 병렬 구조의 동명사구로 주어 역할을 한다.

Review Test p. 34

❶ A 1 ③ 2 ④
B 1 wealthy 2 exist 3 similar 4 consume

❷ A 1 ② 2 ⑤
B 1 based on 2 represent 3 advanced 4 symbols

❸ A ②
B 1 reasonable 2 odd 3 flush 4 escape

❹ A 1 ① 2 ②
B 1 chemical 2 Lack 3 lead to 4 burn

Chapter 04

1 Math p. 38

1 ① 2 1/12, comes from

지문 해석

미국인들이 아직도 고대 로마의 측정 시스템을 사용한다는 것을 알고 있는가? 그것은 영국식 표준 단위라고 불린다. 로마인들은 무엇을 가지고 사물을 측정했을까? 그들의 몸이다! 1마일(1.609 km)은 1,000걸음이었다. 1페이스(152.4 cm)는 5 feet의 길이였고, 1풋(30.48 cm)은 보통 남성의 발 길이였다. 1인치(2.54 cm)는 보통 남성의 엄지손가락 너비였다. 더 엄밀히 말하자면, 그것은 1풋의 12분의 1이었다. 사실, '인치'라는 말 자체가 12분의 1을 뜻하는 라틴어인 uncia에서 유래한다. 미국과 버마, 라이베리아만이 미터법을 채택하지 않았다. 참으로 이상한 3인조이다! 세계의 다른 곳은 옛날 옛적에 현대화되었다.

문제 해설

1 미국인들이 아직도 고대 로마의 측정 시스템인 영국식 표준 단위를 사용하고 있다고 말하면서 이에 대한 기원을 설명하고 있다.
① 영국식 표준 단위의 기원
② 영국식 표준 단위의 훌륭함
③ 보통 남성의 발 길이
④ 몸을 정확하게 측정하는 방법
⑤ 사람들이 치수를 잴 때 여전히 신체를 사용하는 이유

2 More precisely, it was 1/12 of a foot. In fact, "inch" itself comes from the Latin word uncia, meaning one twelfth.에서 빈칸의 답을 찾을 수 있다.
정확히 말하자면, 1인치는 1풋의 1/12였고, 그 단어는 1/12를 뜻하는 라틴어인 uncia에서 유래한다.

어휘 충전

ancient a. 고대의 measuring system 측정 시스템
measure v. 측정하다 pace n. 걸음, 보폭 length n. 길이
width n. 폭, 너비 thumb n. 엄지손가락
precisely ad. 정확히, 꼭 come from ~에서 유래하다
adopt v. 채택하다, 선정하다 trio n. 3인조
modernize v. 현대화하다 ages ago 옛날 옛적에
origin n. 기원, 근원 to be more exact 보다 정확히 말하자면

구문 분석

2행 It**'s called** the Imperial system.
: be called는 '~라고 불리다'라는 뜻이다.

8행 More precisely, it was 1/12 of a foot.
: 분수를 읽을 때는 분자는 기수로, 분모는 서수로 읽는다. 1/12는 one twelfth라고 읽는다.

8행 In fact, "inch" itself comes from *the Latin word uncia*, meaning one twelfth.
: meaning one twelfth가 앞에 나온 명사를 수식해 준다.

9행 Only the USA, Burma, and Liberia **have not adopted** the metric system.
: 현재완료의 부정형은 「have(has)+not+과거분사」 형태로 나타낸다.

2 Unusual Food p. 39

1 ③
2 곤충에는 단백질, 열량, 비타민이 풍부하기 때문에

지문 해석

유엔(UN)은 당신이 더 많은 곤충을 먹기를 원한다. 그들이 말하길 곤충을 먹는 것이 지구 온난화와 기아를 줄일 수 있다고 한다. 어떻게 말인가? 곤충은 어디에서든지 자란다. 농장 동물과는 달리 곤충은 어떤 특별한 보호나 먹이 주기가 필요하지 않다. 그들은 또한 단백질을 만들어 내는 데 탁월하다. 곤충들은 풀을 먹고 나서 그것을 단백질로 바꾼다. 사람들은 풀을 먹을 수는 없지만 단백질은 먹을 수 있다. 예를 들어, 귀뚜라미는 소가 같은 양

의 풀을 먹어서 만드는 것보다 12배나 많은 단백질을 만든다. 동시에, 그들은 온실가스를 훨씬 덜 배출한다. 곤충에는 단백질, 열량, 비타민이 풍부하기 때문에 가난한 아이들에게 이상적인 식품이다. 하지만, '소비자의 혐오감'을 먼저 극복해야 한다. 우리는 더 많은 사람들이 곤충에 대해 '으액!'이라고 말하는 것 대신에 '냠냠!'이라고 말하게 해야 한다.

문제 해설

1 사람들에게 단백질을 만들어 낼 수 있는 물질이 있는지에 대해서는 언급되지 않았다.

2 since insects are high in protein, energy, and vitamins, they are ideal foods for poor children에서 곤충이 이상적인 식품인 이유를 알 수 있다.

어휘 충전

insect n. 곤충 reduce v. 줄이다 hunger n. 기아, 배고픔
unlike prep. ~와 달리 care n. 돌봄, 보살핌
feeding n. 먹이 주기 protein n. 단백질 cricket n. 귀뚜라미
turn A into B A를 B가 되게 하다 at the same time 동시에
produce v. 생산하다, 배출하다 ideal a. 이상적인
consumer n. 소비자 disgust n. 혐오감, 역겨움
overcome v. 극복하다

구문 분석

1행 The United Nations **wants** you to eat more insects.
: 동사 want는 목적격보어로 to부정사를 취한다.

5행 Crickets, for instance, *make* **twelve times more** *protein* **than** cows **do** from the same amount of grass.
: 「배수사+비교급+than」 ~보다 …배 ~하다
: do는 make protein을 대신한다.

7행 they produce **far** less greenhouse gases
: far는 비교급을 강조하는 부사이다.

8행 **since** insects are high in protein, energy, and vitamins,
: 접속사 since는 '~때문에'라는 뜻으로 쓰였다.

3 World News p. 40

1 ⑤ 2 ④ 3 ②

지문 해석

Oscar는 영국의 한 농장에서 살고 있다. 어느 날, 수확하는 기계가 Oscar를 쳐서 뒷발이 잘려 나갔다. 주인인 Kate Allan이 그를 동물 병원으로 데려갔다. 의사는 Oscar를 구해냈고 그에게 새로운 발을 갖게 해 주는 세계 최초의 수술을 권유했다. 그는 만약 수술이 Oscar에게 효과가 있다면, 사람에게도 역시 적용할 수 있을 거라고 말했다. 그래서 Kate는 그러겠다고 말했고, 과학자들과 외과 전문의들로 구성된 팀이 작업에 착수했다. 그들은 빈 금속 막대기들을 Oscar의 뒷다리 뼈에 붙였다. (Oscar의 뒷다리는 앞다리보다 짧다.) 그 막대기들은 뼈 성장 호르몬으로 싸여져 있어서, Oscar의 다리뼈가 막대기 안으로 자라게 되었다. 놀랍게도, Oscar의 피부와 털이 새로운 발 주변에도 다시 자랐다. 이것이 그가 세계 최초의 사이보그 고양이가 된 사연이다. 이제 그는 사이보그 발과 함께 예전에 걸었던 것처럼 걸을 수 있다!

문제 해설

1 Oscar는 수술을 받은 후 예전처럼 걸을 수 있었다.

2 Oscar의 뒷다리가 앞다리보다 짧다는 내용은 본문의 흐름상 어울리지 않는다.

3 새로운 발 주변에 Oscar의 피부와 털이 다시 자란다는 것은 놀라운 일이므로 '놀랍게도'라는 부사가 적절하다.

어휘 충전

harvesting n. 수확, 거둬들이기 run over (사람, 동물을) 치다
tear off 뜯어내어 버리다 owner n. 주인 save v. 구하다
recommend v. 권유하다 surgery n. 수술
work v. 효과가 있다 surgeon n. 외과의사
get to work (일을) 시작하다 fit v. 끼워 맞추다
hollow a. 텅 빈 metal n. 금속 bone n. 뼈
be covered in ~로 싸여 있다 grow into ~ 안으로 자라다
grow back 다시 자라다 cyborg n. 사이보그

구문 분석

3행 ~ recommended *a world-first surgery* **to give** him new feet.
: to give는 a world-first surgery를 수식하는 형용사적 용법이다.
: 「give+간접목적어+직접목적어」 ~에게 …을 주다

8행 The sticks **were covered in** a bone-growth hormone,
: be covered in은 '~로 싸여져 있다'라는 뜻이다.

10행 **This is how** he became the world's first cyborg cat.
: 「this is how ~」는 '이것이 ~하게 된 방법이다(사연이다)'라는 뜻이다.

4 People p. 42

1 ⑤ 2 (1) T (2) T (3) F 3 ③

이미지 맵

(1) A True Genius behind Edison, Tesla
(2) electricity (3) invented
(4) while (5) known

지문 해석

Nikola Tesla에 대해 아는가? 그럼 Thomas Edison은 어떤가? 당신은 Tesla는 모르겠지만, 아마 Edison은 매우 잘 알 것이다. 물론, Edison은 많은 물건을 발명했다. 하지만 Tesla 역시 그랬다. 사실, Tesla는 전기 과학에서 진정한 천재였다. Edison이 Tesla를 고용했고, Tesla는 Edison의 직류 전력 모터를 개선하였다. 하지만 Edison은 Tesla에게 그의 작업에 대해 전혀 보수를 지불하지 않았다. 그다음에 Tesla는 발전소에서 집까지 교류 전력을 보내는 방법을 만들어 냈다. 그것은 오늘날까지 전 세계가 사용하는 체제이다. 그는 또한 형광등과 다른 많은 위대한 전기용품을 발명했다. Tesla에 비하면 Edison은 그저 천재 사업가에 불과했다. Tesla가 가난하고 알려지지 않은 채로 사망한 반면에, 그는 명성과 부를 얻었다. 하지만 이제 Tesla의 천재성이 점점 더 알려지고 있다. 최근에 그에 관한 할리우드 영화가 만들어졌다. 그리고 Tesla Motors라는 회사에서는 전기 자동차 분야에서 상을 받은 'Tesla'라는 자동차를 만들고 있다. Tesla가 이 사실을 알게 된다면 기뻐할 것이다, 그렇게 생각하지 않는가?

문제 해설

1 Edison에 비해 덜 알려졌지만 다수의 발명품을 만들어 낸 진정한 천재, Tesla에 대한 글이다.
 ① Edison과 Tesla 중에 누가 더 나은가
 ② 전기 사업의 성공
 ③ 어떻게 Tesla는 명성과 부를 얻었는가
 ④ 형광등의 발명
 ⑤ Edison에 가려진 진정한 천재, Tesla

2 (3) Edison이 Tesla를 고용했다고는 나오지만 이 둘이 사업적 동반자 관계였는지에 대한 여부는 언급되지 않았다.

3 지금까지 알려지지 않았는데 이제는 점점 더 알려지고 있다고 했으므로 Tesla가 알려지는 내용이 처음 나오는 최근에 Tesla에 관한 영화가 만들어졌다는 문장 앞에 들어가는 것이 적절하다.

어휘 충전

maybe ad. 어쩌면, 아마 probably ad. 아마, 어쩌면
invent v. 발명하다 stuff n. 물건, 물질 in fact 사실은
genius n. 천재, 천재성 electricity n. 전기, 전력
employ v. 고용하다 improve v. 개선하다, 향상시키다
power plant 발전소 to this day 오늘날까지
electrical a. 전기의 compared to ~와 비교하여
merely ad. 그저, 단지 businessman n. 사업가
gain v. 얻다 fame n. 명성 fortune n. 부, 재물
while conj. 반면에 recently ad. 최근에
prize-winning a. 입상의

구문 분석

10행 It's *the system* (that / which) the whole world *uses* to this day.
: uses의 목적어가 되는 목적격 관계대명사 that 혹은 which가 생략된 문장이다.

12행 **Compared to Tesla**, Edison was merely a genius businessman.
: Compared to 다음에 비교 대상이 오면 '~와 비교하여'라고 해석한다.

12행 He gained fame and fortune, **while** Tesla died poor and unknown.
: while은 대조의 의미로 '~인 반면에'라는 뜻으로 쓰였다.

14행 And *a company* called Tesla Motors makes the "Tesla," a prize-winning electric car.
: called가 이끄는 과거분사구가 a company를 수식한다.

Review Test p. 44

❶ A 1 ⑤ 2 ①
B 1 adopt 2 measure 3 length 4 modernize

❷ A 1 ⑤ 2 ③
B 1 Unlike 2 disgust 3 overcome 4 less

❸ A ②
B 1 Amazingly 2 fitted 3 hollow 4 surgery

❹ A 1 ② 2 ③
B 1 employ 2 compared to 3 merely 4 stuff

Chapter 05

1 Body p. 48

1 ②　2 ⑤

지문 해석

갑자기 추위를 느끼거나 겁을 먹었을 때, 여러분의 피부는 닭살처럼 된다. 이때 닭살이 돋았다고 말할 수 있다. 왜 닭살이 돋는지 알고 있는가? 이 질문에 대답하기 위해, 우리는 인류 초기의 조상을 기억할 필요가 있다. 그들은 완전히 털로 덮여 있었다. 우리가 추울 때는, 피부 안에 있는 아주 작은 근육이 수축한다. 피부가 조금 올라오고, 이는 돌기를 만든다. 이 돌기는 털이 똑바로 서게 한다. 똑바로 서 있는 많은 털은 피부 옆에 따뜻한 공기를 가두고 차가운 공기는 들어오지 못하게 한다. 이것이 털이 많은 동물이 오늘날 몸을 따뜻하게 유지하는 방법이다. 하지만 왜 우리가 겁을 먹었을 때도 그런 현상이 일어나는 걸까? 울퉁불퉁한 피부와 꼿꼿이 선 털이 동물을 조금 더 크게 보이게 하고, 더 큰 동물들은 공격을 받을 가능성이 적어진다.

문제 해설

1 왜 닭살이 돋게 되는지에 관한 이야기이다.
① 우리 조상들은 어떻게 추위를 견뎠는가?
② 왜 우리는 닭살이 돋는가?
③ 왜 우리는 몸에 털이 있는가?
④ 우리는 언제 닭살이 돋는가?
⑤ 왜 동물들은 울퉁불퉁한 피부가 필요한가?

2 추울 때 털이 곧게 서는 이유는 피부의 아주 작은 근육들이 수축하면서 돌기를 만들고, 그 돌기가 털을 똑바로 서게 만들기 때문이다.

어휘 충전

goose bumps 소름, 닭살　ancestor n. 조상, 선조
totally ad. 완전히　be covered in ~로 덮이다
contract v. 수축하다　bump n. 돌출부, 돌기
straight ad. 똑바로　trap v. 가두다, 끌어 모으다
keep out ~이 들어가지 않게 하다　hairy a. 털이 많은
frightened a. 겁먹은　bumpy a. 울퉁불퉁한
likely a. ~할 것 같은　attack v. 공격하다
stand v. 참다, 견디다

구문 분석

3행 Do you **know** why you get them?
: why you get them은 「의문사 + 주어 + 동사」 어순의 간접의문문 형태로 know의 목적어 역할을 한다.

4행 **To answer** the question, we need to remember our earliest ancestors.
: to answer는 to부정사의 부사적 용법으로 '~하기 위해'라는 뜻의 목적을 나타낸다.

6행 The skin rises a little bit, **which** makes bumps.
: 관계대명사의 계속적 용법은 관계대명사 앞에 콤마(,)가 나오며, 선행사를 한정하는 역할이 아닌 선행사에 대한 부가 설명을 해 준다. 이 문장의 which는 앞에 있는 문장 전체를 선행사로 하는 계속적 용법의 관계대명사이다.

7행 These bumps **make** hair stand up straight.
: 「make + 목적어 + 목적격보어(동사원형)」 ~을 …하게 만들다

9행 **This is how** hairy animals keep themselves warm today.
: 「this is how ~」 이런 식으로(이와 같이) ~하다

12행 bigger animals **are less likely** **to be attacked**
: be less likely to는 '~할 가능성이 적다'는 뜻이다.
: 더 큰 동물이 공격을 덜 받는 것이므로 수동태로 쓰였고, to부정사의 수동태는 「to + be + 과거분사」로 나타낸다.

2 Stories p. 49

1 ⑤　2 (1) F　(2) T　(3) F

지문 해석

코코다 트랙은 세계에서 가장 도전적인 하이킹 코스 중 하나이다. 이것은 파푸아 뉴기니의 울창한 정글을 통과하는 96km짜리 코스이다. Chloe Simpson은 거의 죽을 뻔했던 차사고 후 겨우 몇 개월 만에 18세의 나이로 그것에 도전했다. 그녀의 부상은 끔찍했다. 그래서 의사들은 그녀가 병원에 열 달은 있어야 할 거라고 했다. 하지만 그녀는 3개월 만에 퇴원했다. 그 당시에, Chloe의 회복을 돕던 의사들은 병원을 위한 모금을 하기 위해 코코다를 걷는 것을 계획하고 있었다. 그녀는 완전히 회복되지 않았음에도 불구하고, 아버지와 그 일에 동참하기로 했다. 그녀는 완주했을까? 그렇다, 그녀는 해냈다. 그리고 놀라운 성취 후에 그녀는 "병원에서 나를 돌봐 주었던 모든 사람에게 감사의 인사를 전하는 저만의 방법이었습니다."라고 말했다.

문제 해설

1 마지막 문장에서 Chloe는 하이킹에 도전한 것은 그녀를 도와 준 모든 사람들에게 감사의 인사를 전하는 방법이었다고 말하고 있다.

2 (1) 파푸아 뉴기니는 하이킹을 한 장소이다. 사고를 당한 장소에 대해서는 언급되지 않았다.

(3) Chloe는 완주를 했다.

어휘 충전

challenging a. 도전적인 trail n. 코스, 산길
dense a. 빽빽한 injury n. 부상, 상처 horrible a. 끔찍한
recovery n. 회복 raise v. (자금을) 모으다 fully ad. 완전히
make it 해내다 amazing a. 놀라운 achievement n. 업적
look after ~을 돌보다

구문 분석

1행 The Kokoda Track is **one of the world's most challenging hikes**.

: 「one of + the + 최상급 + 복수 명사」 가장 ~한 … 중의 하나

3행 Chloe Simpson tried it at age 18, just months after *a car accident* **that** almost killed her.

: 주격 관계대명사 that이 이끄는 절이 선행사 a car accident를 수식한다.

6행 *the doctors* [**who** helped in Chloe's recovery] **were planning** to walk the Kokoda to raise money for the hospital

: who는 the doctors를 선행사로 하는 주격 관계대명사이다.

: 「was/were + -ing」는 과거진행형으로 '~하는 중이었다'는 뜻이다.

: to walk는 planning의 목적어로 쓰인 명사적 용법이고 to raise는 목적을 나타내는 부사적 용법이다.

7행 **Even though** she was not fully recovered, Chloe and her dad **decided to join** them.

: even though는 '비록 ~일지라도'라는 의미로 부사절을 이끄는 접속사이다.

: decide는 to부정사를 목적어로 취하는 동사로, 이와 같은 동사는 want, agree, determine, choose 등이 있다.

10행 It was *my way* **to say** 'thank you' to *everyone* **who** looked after me in the hospital.

: who는 everyone을 선행사로 하는 주격 관계대명사이다.

: to say는 my way를 수식하는 형용사적 용법으로 쓰였다.

3 Information

p. 50

1 ③ 2 ③ 3 taste

지문 해석

우리는 '유통기한'이 지난 음식물을 버려야만 할까? 가공하지 않은 생선과 고기를 제외하고는 그럴 필요가 없다. 예를 들어, 냉장고 안에 있는 겨자 소스는 '유통기한이 지났다'해도 생김새와 냄새가 괜찮다면, 계속해서 사용할 수 있다. 대부분의 '유통기한'은 맛을 위한 것이지 안전을 위한 것은 아니기 때문이다. 식품 회사들은 제품이 최상의 상태일 때 시식되기를 원한다. 그들은 제품이 아주 조금이라도 품질을 잃게 되는 것을 원하지 않는다. 하지만 대부분의 사람은 차이점조차 구별해 낼 수 없을 것이다. "당신 회사 제품이 신선할 때 9점의 평가를 받았다고 해 보자. 당신은 슈퍼마켓 진열대에서 그 물건을 치우고 싶은 때를 8.5점이라고 결정할 것이다. 하지만 8점일 때조차 대부분의 사람은 맛이 괜찮다고 느낄 것이다."라고 전문가는 말한다.

문제 해설

1 유통기한은 안전을 위해 정해진 것이 아니기 때문에 기한이 지난 음식을 꼭 버려야 하는 것을 아니라고 말하고 있다.

2 (A)는 유통기한이 지난 겨자 소스를 예로 들고 있으므로 for instance가, (B)는 회사가 원하는 것과는 달리 대부분의 사람들은 차이점을 구별하지 못한다는 이야기이므로 역접의 의미인 but이 적절하다.

3 That's because most "best by" dates are for taste, not safety.에서 유통기한이 정해지는 기준은 안전이 아니라 맛(taste)임을 알 수 있다.

어휘 충전

except for ~을 제외하고는 fresh a. 신선한, 날것의
jar n. 병 mustard n. 겨자 fridge n. 냉장고
expire v. 만료되다 as long as ~하는 한
taste n. 맛 v. 맛보다 safety n. 안전 company n. 회사
quality n. 질 tiny a. 아주 적은 amount n. 양
tell v. 구별하다, 알다 rate v. 등급을 매기다
remove v. 치우다, 없애다 shelf n. 선반

구문 분석

2행 **Except for** fresh fish and meat, no, we don't.

: except for는 전치사로 '~을 제외하고'라는 뜻이다.

4행 you can **keep on** *using* it **as long as** it looks and smells fine

: keep on '계속하다'는 의미로 전치사 on 뒤에 동사가 올 경우 동명사가 따라온다.

: as long as는 '~이기만 하면, ~하는 한'이라는 의미의 부사절을 이끄는 접속사이다.

5행 **That's because** most "best by" dates are for taste, not safety.

: That's because는 '~때문이다'라는 뜻으로 뒤에 나오는 내용이 원인에 해당한다.

9행 Let's say (that) your company's product is rated at 9 points when it's fresh.

: say 뒤에는 명사절을 이끄는 접속사 that이 생략되었다.

10행 You might decide **that** 8.5 is *the point* **when** you want to remove it from supermarket shelves.

: that은 decide의 목적어 역할을 하는 명사절을 이끄는 접속사이다.

: 관계부사 when이 이끄는 절이 선행사 the point를 수식한다.

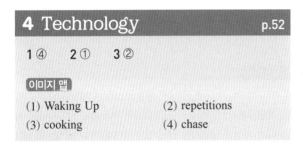

4 Technology p.52

1 ④ 2 ① 3 ②

이미지 맵

(1) Waking Up (2) repetitions
(3) cooking (4) chase

지문 해석

자명종이 울릴 때, 당신은 반복해서 일시정지 버튼을 누르는가? 당신은 일어나기가 많이 힘든가? 아마도 당신은 이 똑똑한 시계 중에 하나를 써 봐야 할 것이다.

1. 아령 운동

'몸만들기' 아령 시계는 당신이 그 시계를 들어 올리고 적어도 그것을 30번 반복할 때까지 당신을 괴롭히기를 멈추지 않을 것이다. 비록 당신의 뇌는 전혀 준비되어 있지 않더라도, 적어도 당신의 팔은 깨어 있을 것이다.

2. 아침의 베이컨

맛있는 베이컨 냄새가 일어나 아침을 먹을 시간이라고 말해 준다. 베이컨 시계의 요리판 위에 냉동 베이컨을 올리고 알람을 맞추어라. 베이컨은 당신이 일어나야 하는 시간 4분 전에 요리되기 시작할 것이다.

3. 클락키

클락키 위에 있는 일시정지 버튼을 한 번 이상 누르면 그 시계는 당신으로부터 2m 떨어진 곳으로 튀어나갈 것이다. 당신은 침대에서 나와서 시계가 울리는 것을 멈추도록 쫓아가야 한다. 그때쯤이면 당신은 완전히 깰 것이다.

문제 해설

1 아침에 일어나기 힘들어하는 사람들을 위한 특별한 자명종 시계를 소개하고 있으므로 이런 시계가 가장 필요한 사람은 아침에 일어나기 힘들어하는 사람이다.
① 식사를 할 시간이 없는 사람
② 운동하기를 싫어하는 사람
③ 종종 시계를 잃어버리는 사람
④ 일어나기 힘들어 하는 사람
⑤ 항상 약속 시간을 잊어버리는 사람

2 아령 시계는 30분 동안이 아닌, 30번을 반복해서 들어 올려야 알람이 멈춘다.

3 '30번을 반복할 때까지 멈추지 않을 것이다'는 뜻이므로 until이 적절하다.

어휘 충전

go off 울리다 over and over again 반복해서
clever a. 영리한, 똑똑한 dumbbell n. 아령
bother v. ~을 괴롭히다 workout n. 운동
at least 적어도, 최소한 repetition n. 반복
awake a. 깨어 있는 frozen a. 냉동된
cooktop n. (가스, 전자) 레인지의 위판
set v. (시계, 기기를) 맞추다 get out of ~에서 나가다
chase v. 뒤쫓다 wide awake 완전히 깨어 있는

구문 분석

5행 The "Shape Up" Dumbbell Alarm won'**t stop** bothering you until you **pick it up** and do at least 30 repetitions.

: stop은 동명사를 목적어로 취하는 동사이다. 「stop＋동명사」는 '~하는 것을 멈추다'는 뜻이고, 「stop＋to부정사」의 to부정사는 '~하기 위해 멈추다'라는 뜻으로 목적을 나타내는 부사적 용법이다.

: pick up과 같이 「동사＋부사」 형태의 구동사는 목적어가 대명사인 경우 동사와 부사 사이에 위치한다.

7행 At least your arm will be awake **even if** your brain isn't quite ready to go.

: even if 는 '비록 ~일지라도'라는 뜻으로 부사절을 이끄는 접속사이다.

10행 The delicious smell of bacon says (that) it's *time* **to get up** and **have** breakfast.

: says 뒤에는 접속사 that이 생략되었다.

: to get up은 to부정사의 형용사적 용법으로 명사 time을 꾸며 준다.

17행 chase it down **to make** *it* stop **ringing**

: to make는 목적을 의미하는 부사적 용법이다.

: 「make + 목적어 + 목적격보어(동사원형)」 ~을 …하게 만들다

: 「stop -ing」 ~하는 것을 멈추다

Review Test p. 54

❶ A 1 ④ 2 ①
B 1 straight 2 frightened 3 skin 4 totally

❷ A 1 ① 2 ②
B 1 recovery 2 achievement 3 look after 4 challenging

❸ A ③
B 1 expires 2 safety 3 shelves 4 removed

❹ A 1 ① 2 ④
B 1 repetition 2 Frozen 3 wake up 4 at least

Chapter 06

1 Information p. 58

1 ② 2 ③

지문 해석

당신이 구입하는 모든 옷은 '의류 관리표'가 붙어 있다. 그 표는 당신의 옷을 깨끗이, 그리고 최상의 상태로 유지하는 방법과 유효 수명을 길게 하는 방법을 설명한다. 그것은 당신이 어떻게 그것을 망칠 수 있는지도 알려 준다! 조그만 아이콘들이 중요한 설명을 나타내지만, 그것들은 무슨 뜻일까? 여기에 쉬운 지침이 있다.

문제 해설

1 옷에 달린 세탁 표시가 어떤 의미를 나타내는지에 대한 글이다.
① 표시가 만들어지는 이유
② 세탁 표시가 알려 주는 것
③ 옷을 세탁할 수 있는 장소
④ 가장 좋은 세탁기를 구입하는 방법
⑤ 옷을 정기적으로 세탁해야 하는 이유

2 손빨래 기호는 물에 손을 넣은 그림이고 저온 빨래 기호는 점이 하나(Cold/cool) 있는 것이다.

어휘 충전

attached a. 부착된 explain v. 설명하다 condition n. 상태
useful life 유효 수명, 사용 수명 ruin v. 망치다
represent v. 나타내다 instruction n. 설명, 방법
bleach v. 표백하다 iron v. 다림질하다

구문 분석

1행 *All the clothes* [(that) you buy] **have** "Clothing-Care" labels attached.

: 목적격 관계대명사 that이 생략되었다.

2행 ~ and how to **make** their useful life longer

: 「make + 목적어 + 목적격보어」 ~을 …하게 만들다

3행 It also tells you **how you can ruin them**!

: 관계부사 how가 이끄는 절이 tell의 직접목적어가 된다.

2 Extreme Sports p. 59

1 ④ 2 straight, glide

지문 해석

윙슈트 플라잉에 대해 들어본 적이 있는가? 그것은 스카이다이빙 혹은 베이스 점프의 극도로 위험한 형태이다. 참가자들은 팔과 다리 사이에 펼쳐지는 천이 있는 '윙슈트'라고 불리는 특별한 점프 슈트를 입는다. 그 천은 날개처럼 몸의 표면적을 증가시키고 점프 이후에 떨어짐을 더디게 한다. 기본적으로, 윙슈트는 당신의 몸을 비행기로 만들어 주고 당신은 조종사가 된다. 윙슈트를 입고서 당신은 공기 중에 몇 분간 머무를 수 있고 수마일을 날 수 있다. 수직으로 떨어지는 스카이다이버들과는 다르게 윙슈트 다이버들은 한동안 공중에서 미끄러지듯이 나아갈 수 있다. 그것은 날아다니는 꿈을 경험하는 것과 같다. 하지만 그것은 현실 세계에서 일어나는 일이다. 당신도 한번 해 보겠는가?

문제 해설

1 윙슈트 플라잉에 조종사 면허가 필요하다는 내용은 언급되지 않았다.

2 Unlike skydivers, who fall straight down, wingsuit pilots can glide along in the air for some time.에서 빈칸의 답을 찾을 수 있다.
스카이다이버는 수직으로 떨어지지만, 윙슈트다이버들은 공중에서 한동안 미끄러지듯 날아갈 수 있다.

어휘 충전

extremely ad. 극도로, 극히 participant n. 참가자
fabric n. 천, 직물 spread out 펴다, 벌리다
increase v. 증가하다 surface n. 표면 fall n. 떨어짐, 낙하
essentially ad. 기본적으로 flying a. 날 수 있는, 나는
unlike ad. ~와 다르게 fall down 떨어지다, 넘어지다
straight ad. 똑바로 glide v. 미끄러지듯 가다
experience v. 경험하다 in real life 현실 세계에서

구문 분석

1행 Have you ever heard of wingsuit flying?

: 현재완료형 의문문은 「Have(Has)+주어+(ever)+과거분사 ~?」 형태로 나타내며, '~한 적이 있는가?'라는 뜻이다.

3행 Participants wear a special jumpsuit called *a "wingsuit,"* **which** has *fabric* **that** spreads out between the arms and legs.

: 주격 관계대명사절 which has fabric은 앞에 나온 a 'wingsuit'를 보충 설명한다.

: 주격 관계대명사절 that 이하는 앞에 나온 fabric을 수식한다.

8행 **Wearing** a wingsuit, you can stay in the air for minutes and fly for miles.

; 주절의 주어와 종속절의 주어가 같을 때는 주어를 생략하고 동사를 -ing 형태로 바꾸어 분사구문으로 나타낼 수 있다.

9행 Unlike *skydivers*, **who** fall straight down, wingsuit pilots can glide along in the air for some time.

: 주격 관계대명사절 who 이하는 앞에 나온 skydivers를 보충 설명한다.

3 Health p. 60

1 ④ 2 ④ 3 ③

지문 해석

점점 더 많은 십 대들이 영구적인 청력 손상으로 고통받고 있으며, 전문가들은 소음 때문이라고 보고 있다. 소음에 노출될 때마다 우리의 청력은 조금씩 손상된다. 그 손상은 반복되는 노출로 점점 심해져서 영구적인 청력 손실로 이어진다. 그렇다면 우리는 어떻게 그것을 예방할 수 있을까? 여기에 당신을 위한 몇 가지 조언이 있다.

- 유해한 소음을 피해라. 가능하면 소음의 근원에서 떨어져 있어라.
- 만약 벗어날 수 없다면, 보호 기구를 사용해라. 록 콘서트에 가려고 하는가? 잔디를 깎으려고 하는가? 항상 귀마개나 방한용 귀마개를 사용해라!
- 볼륨을 조절해라. 특히 당신의 헤드폰 소리를 낮춰라. 대개 전자 기기는 권장하는 안전 볼륨 크기가 있으므로, 그것이 뭔지 알아내서 그 이내로 유지해라.
- 담배를 피우지 말고, 흡연자를 피해라. 담배 연기는 귀 감염과 청력 손상을 야기한다.

문제 해설

1 청력 손실을 방지하는 방법에 대한 내용이다.

2 담배 연기가 청력에 손상을 줄 수 있다고 했으므로 담배를 피우는 친구들과 자주 함께 있는 삼촌은 some tips를 잘 따르고 있지 않은 것이다.

3 be exposed to는 '~에 노출되다', lead to는 '~로 이어지다'라는 뜻이므로, to가 적절하다.

어휘 충전

more and more 점점 더 많은 suffer from ~로 고통을 받다
permanent a. 영구적인 hearing loss 청력 손상
expert n. 전문가 blame v. 비난하다, ~을 탓하다
damage v. 손상을 입히다 n. 손상
whenever conj. ~할 때마다 expose v. 노출시키다
build up 점점 증가하다 exposure n. 노출
prevent v. 막다, 예방하다 avoid v. 피하다
harmful a. 해로운 stay away from ~로부터 거리를 두다
source n. 근원, 원천 get away 벗어나다
protection n. 보호물, 보호 장비 control v. 조절하다
keep down ~를 낮추다 electronic a. 전자의
device n. 기기, 장비 find out 알아내다 cause v. 야기하다
infection n. 감염

구문 분석

1행 More and more teenagers are **suffering from** permanent hearing loss, ~

: suffer from ~로 고통받다, ~을 겪다

2행 Our hearing is damaged a little **whenever** we are exposed to loud noise.

: 복합관계부사 whenever는 절을 이끌며, '~할 때마다'라는 뜻이다.

9행 **keep** the sound **down** on your headphones

: 「keep+사물+down」은 '~을 낮추다, 억제하다'라는 뜻이다.

11행 ~ so find out **what it is** and stay within it

: 간접의문문은 「의문사+주어+동사」 어순으로 나타낸다.

4 Myth
p. 62

1 ⑤ 2 ③ 3 (1) T (2) T (3) F

이미지 맵

(1) scare (2) invisible (3) see
(4) jealous (5) flew away

지문 해석

Eros는 그리스의 사랑의 신이었다. 그는 아름다운 소녀인 Psyche와 사랑에 빠졌다. 그는 그녀를 무섭게 하고 싶지 않아서, 자신을 보이지 않게 만들고서는 그녀에게 다가갔다. 그는 "만약 당신이 나를 사랑한다면, 절대 나를 보려고 하지 마시오"라고 말했다. 그는 그것에 그녀가 맹세하게 만들었다. 그렇게 했음에도 불구하고, 그녀는 그를 차츰 사랑하게 되었다. 그들은 아름다운 궁전에서 살았고 함께 매우 행복했다. 하지만, Psyche의 언니들이 그녀를 매우 질투하게 되었다. 그들은 그녀의 결혼을 망가뜨리고 싶었다. 그래서 그들은 그녀에게 'Eros는 괴물이야. 그를 떠나야 해, 그렇지 않으면 그가 너를 죽일 거야'라고 말했다. Psyche는 울고 또 울었다. '그것이 사실일 리가 없어! 나의 멋진 남편이 괴물이라고?' 결국, 그녀는 알아보기로 결심했다. 어느 날 밤, 그녀는 Eros가 잠이 들 때까지 기다렸다. 그러고 나서 그녀는 촛불을 가져와 그의 얼굴을 바라보았다. 그는 너무 아름다웠다! 그녀는 너무 놀라서 양초에서 촛농을 떨어뜨리고 말았다. 그것이 Eros의 얼굴에 떨어졌다. 그는 그 즉시 깨어나 날아가 버렸다.

문제 해설

1 Eros를 믿지 못하고 그의 얼굴을 바라 본 Psyche를 통해서 '사랑은 눈으로 보는 것이 아니라 마음으로 보는 것이다'는 명언을 알 수 있다.

2 '명령문 or ~' 문장에서 접속사 or는 '그렇지 않으면'이라는 뜻이다.

3 (3) Psyche가 촛농을 떨어뜨리자, Eros는 잠에서 깨어 날아가 버렸다.

어휘 충전

fall in love with ~와 사랑에 빠지다
scare v. ~을 겁나게 하다 invisible a. 눈에 보이지 않는
swear v. 맹세하다 even so 그럼에도 불구하고
palace n. 궁전 jealous a. 질투하는 destroy v. 망가트리다
marriage n. 결혼, 결혼 생활 monster n. 괴물
eventually ad. 결국 decide v. 결심하다
until conj. ~까지 fall asleep 잠들다 amazed a. 놀란
drip v. 떨어뜨리다 wax n. 왁스, 촛농
fall on ~위에 떨어지다 immediately ad. 즉시
fly away 날아가다

구문 분석

2행 he **made** *himself* invisible

: 「made + 목적어(himself) + 목적격보어(형용사: invisible)」 ~을 …하게 만들다

3행 **never** try to see me

: 부정명령문은 동사원형 앞에 never나 don't를 붙인다.

3행 He **made** *her* swear to it.

「made + 목적어(her) + 목적격보어(동사원형: swear) ~에게 …하게 시키다

4행 she grew to love him

「grow to love/understand/hate/like/respect etc.」 ~하기 시작하다, 차츰 ~하게 되다

8행 It **can**not be true!

: 조동사 can은 추측, 가능, 능력을 나타내며, 이 문장에서는 추측의 의미를 가지고 있다.

11행 She was **so amazed that** she dripped wax from her candle.

: 「so + 형용사/부사 + that ~」은 that 앞에 나온 내용이 원인, that 뒤에 나온 내용이 결과를 나타낸다.

Review Test
p. 64

❶ A 1 ① 2 ③
B 1 represents 2 ruined 3 attached 4 instructions

❷ A 1 ② 2 ④
B 1 spread out 2 participants 3 experience 4 stayed

❸ A ⑤
B 1 damaged 2 blame 3 prevent 4 cause

❹ A 1 ⑤ 2 ①
B 1 immediately 2 invisible 3 marriage 4 destroy

Chapter 07

1 Health p. 68

1 ③ 2 poor quality sleep

지문 해석

수면 전문가들은 하룻밤에 8시간의 수면을 취하는 것을 권장한다. 그들은 또한 그보다 몇 시간 덜 자는 것도 아주 나쁘지는 않다고 말한다. 그렇지만 십 대들은 잘 수 있는 한 많이 자야 한다. 하지만 많은 이들이 전자 기기를 가지고 수면을 취하면서 그들의 건강을 해치고 있다. 조사에 따르면 스마트폰, 컴퓨터, 다른 장치들과 같은 기기들을 자야 할 시간에 사용하면 숙면을 취할 수 없다고 한다. 에든버러 수면 센터의 의사 Chris Idzikowski는 이 문제를 '정크 슬립'이라고 부른다. 왜냐하면 십 대들에게 그들이 필요로 하는 건강한 휴식을 제공해 주지 않기 때문이다. 사실상, 이는 몸 안의 호르몬 변화를 일으킬 수 있다. 호르몬 변화는 비만과 정신적인 문제로 이어질 수 있다. 전달하는 바는 간단하다. "기기의 전원을 끄고 잠을 좀 더 자도록 하라."

문제 해설

1 8시간 이하의 수면을 취하더라도 매우 해롭지는 않다고 했다.

2 junk sleep은 앞 문장에서 나온 poor quality sleep을 의미한다.

어휘 충전

expert n. 전문가 recommend v. 권장하다
harmful a. 해로운 electrical a. 전기의
device n. 장치, 기구 quality n. 질 bedtime n. 잠잘 시간
provide v. 제공하다 hormonal a. 호르몬의
lead to ~로 이끌다, 이어지다 obesity n. 비만
switch off (~을) 끄다

구문 분석

2행 They also say **that** getting a few hours less than **that** isn't too harmful.

: 첫 번째 that은 say의 목적어 절을 이끄는 접속사이고 두 번째 that은 앞 문장의 eight hours of sleep a night를 가리키는 대명사이다.

: getting a few hours less than that은 동명사구로 that 이하의 명사절에서 주어 역할을 하고 있다.

3행 Still, teenagers need **as** much sleep **as** they can get.

: 「as ~ as+주어+can(could)」은 '~가 할 수 있는 한(가능한 한) …하게'라는 뜻이다.

4행 However, many are damaging their health **by going** to sleep with electrical devices.

: 「by+-ing」는 수단이나 방법을 나타내는 의미로 '~함으로써'라는 뜻이다.

6행 Research has found that **gadgets** [such as smartphones, computers, and other devices] **cause** poor quality sleep when they **are used** at bedtime.

: gadgets이 주어, cause가 동사이고, such as ~ other devices는 삽입구이다.

: are used는 「be동사+과거분사+(by 행위자)」 형태의 수동태 문장이며 'by 행위자'는 생략되는 경우가 많다.

8행 Dr. Chris Idzikowski of the Edinburgh Sleep Center **calls** the problem "junk sleep" because it doesn't provide teenagers *the healthy rest* (which/that) they need.

: 「call A B」는 'A를 B로 부르다'는 뜻이다.

: they need 앞에는 the healthy rest를 선행사로 하는 목적격 관계대명사 which 혹은 that이 생략되었다.

2 Entertainment p. 69

1 ①

2 철자법에 강하고 극심한 압박 속에서도 침착함을 유지하는 것

지문 해석

당신은 철자법을 잘 알고 있는가? 당신은 극심한 압박 속에서 침착함을 유지할 수 있는가? 이것은 당신이 세계에서 가장 큰 철자법 대회인 스크립스 내셔널 스펠링 비(철자법 맞추기 경기대회)에서 이기는 데 필요한 기술들이다. 결승전은 5월 말이나 6월 초에 워싱턴에서 열린다. 결승전에 진출하기 위해서 당신은 교내 대회, 지방 대회, 그리고 마지막으로 주 대회에서 모두 이겨야 한다. 뉴욕 출신의 13세 소년 Arvind Mahankali는 86번째 연례 대회의 우승자가 되었다. 그는 '발효시킨 밀가루 반죽의 작은 덩어리'를 말하는 이디시 어에서 온 단어 '크네이들'의 철자를 정확히 맞춤으로써 우승을 했다. 그가 우승한 이후, 몇몇 이디시 어 전문가들은 철자가 잘못되었다고 주장했다. 하지만 심사 위원들은 Arvind가 대회의 공식 사전에 나와 있는 대로 단어의 철자를 말했기 때문에 논란의 여지가 없다고 말했다.

문제 해설

1 대회의 시작이 아닌, 결승전이 5월 말이나 6월 초에 열린다.

2 대회에서 이기기 위해 필요한 기술이 글의 시작 부분에 두 가지를 언급되었다.

어휘 충전

spell v. 철자를 쓰다 stay cool 침착하게 행동하다
intense a. 극심한 pressure n. 압박 hold v. 개최하다
competition n. 대회, 경쟁 county n. 자치주(군)
state n. (미국의) 주 annual a. 연례의
correctly ad. 정확하게 mass n. 덩어리 claim v. 주장하다
judge n. 심사위원 controversy n. 논란 official a. 공식적인

구문 분석

1행 **Are** you **good at** spelling?

: be good at은 '~을 잘하다'는 뜻이며 전치사 at 뒤에 동사가 올 경우 동명사 형태를 쓴다.

2행 These are **the skills** (which/that) you need **to win** the world's biggest spelling contest, the Scripps National Spelling Bee.

: the skills 뒤에는 목적격 관계대명사 which 또는 that이 생략되었다.

: to win은 to부정사의 부사적 용법으로 '~하기 위해'라는 뜻의 목적을 나타낸다.

4행 The final **is held** in Washington D.C. in late May or early June.

: is held는 「be동사 + 과거분사」 형태의 수동태 구문으로 대회나 행사가 '열리다'는 뜻이다.

11행 But the judges said (that) there was no controversy, since Arvind **had spelled** the word **as** it is in the contest's official dictionary.

: said 뒤에는 명사절을 이끄는 접속사 that이 생략되었다.

: 「had + 과거분사」는 과거완료로 과거에 (영향이) 끝난 것을 나타낼 때 쓰이며, 과거의 어느 시점에서 보았을 때 그보다 더 과거의 이야기를 하는 것이다.

: as는 부사절을 이끄는 접속사로 '~대로'라는 뜻이다.

3 Architecture p. 70

1 ② 2 ③
3 강철이나 콘크리트보다 환경친화적이고 오래 유지된다.

지문 해석

플라스틱 폐기물로 만들어진 다리를 상상할 수 있는가? 당신은 상상할 필요가 없다. 지금 그 다리를 볼 수 있다. 스코틀랜드의 Dawyck Estate Bridge는 이런 종류의 가장 길고 튼튼한 다리이다. 그 다리는 30m를 가로지르고, 44,000kg의 무게를 지탱하며, 100% 재활용된 플라스틱이다. 하지만 보통의 플라스틱은 아니다. 이것은 플라스틱 제품 폐기물의 고강도 혼합물이다. 건설 재료로서 철강이나 콘크리트보다 훨씬 더 친환경적이다. 또한 훨씬 더 오래 지속된다. 이러한 명백한 이점에도 불구하고, 우리가 더 많은 플라스틱 다리나 도로를 보기까지 많은 시간이 걸릴 것이다. 엄격한 건축 기준과 안전 규정이 먼저 바뀌어야 한다. 왜냐하면 재활용된 재료들이 많은 나라에서 안전하고 튼튼하다고 여겨지고 있지 않기 때문이다. 그 동안에, 폐기물을 위한 창의적인 새로운 사용 방법을 계속해서 찾아보도록 하자.

문제 해설

1 플라스틱 폐기물로 만들어진 다리에 대해 이야기하고 있다.

2 Dawyck Estate Bridge는 세계에서 가장 튼튼한 다리가 아니라 폐기물로 만들어진 다리들 중 가장 튼튼한 다리이다.

3 As a construction material, it is far more environmentally friendly than steel and concrete.에서 강철이나 콘크리트보다 친환경적이고 오래 유지됨을 알 수 있다.

어휘 충전

imagine v. 상상하다 made of ~으로 만든
plastic a. 플라스틱의 n. 플라스틱 waste n. 쓰레기, 폐기물
span v. 가로지르다, 걸치다 support v. 받치다
recycled a. 재활용된 mixture n. 혼합물
construction n. 건설, 공사 material n. 재료, 소재
steel n. 강철 concrete n. 콘크리트
last v. 지속되다, 유지되다 obvious a. 분명한, 명백한
benefit n. 이득, 이점 strict a. 엄격한 standard n. 기준, 수준
regulations n. 규제, 규정 consider v. 여기다, 간주하다
in the meantime 그동안에 creative a. 창의적인

구문 분석

1행 Can you imagine *a bridge* **made of** plastic waste?

: made of는 '~로 만든'이라는 뜻의 과거분사구로 a bridge를 꾸며준다.

1행 Well, you **don't have to** imagine it.

: 「don't have to」는 '~할 필요가 없다'는 뜻으로 need not과 같은 뜻이다.

5행 **Not just any** kind of plastic, **though**.

: not just any는 '보통의 ~은 아니다'라는 뜻이다.

: though가 문장의 뒤에 올 경우 '그렇지만, 그러나'의 의미로 쓰인다.

6행 As a construction material, it is **far** more environmentally friendly than steel and concrete.

: far는 비교급을 강조하는 부사로 much, even, still, a lot 등도 이에 해당한다.

8행 **Despite** these obvious benefits,

: despite는 '~에도 불구하고'라는 뜻의 전치사로 뒤에 명사가 오며 in spite of로 대체 가능하다.

11행 In the meantime, let's **keep** finding creative new uses for our waste materials.

: keep은 뒤에 동명사가 와 '~을 계속하다'는 뜻이다.

4 Jobs p. 72

1 ② 2 (1) T (2) T (3) F
3 to test the company's deodorants

이미지 맵

(1) Odd Jobs in the World (2) taste
(3) strangers' (4) bottoms
(5) collect

지문 해석

당신이 들어본 것 중 가장 기이한 직업은 무엇인가? 이들 중에 하나 일 수도 있다.

애완동물 먹이 감식가

당신은 애완동물 먹이가 어떤 맛일지 궁금한 적이 있는가? 실제 직업으로 애완동물의 먹이를 맛보는 사람들이 있다. Mark Allison은 유명한 영국 백화점에서 일하며 애완동물 먹이를 맛보는데 그 일을 매우 좋아한다고 이야기한다. 그는 심지어 가장 좋아하는 맛도 있는데, '고양이를 위한 고급 닭고기와 채소'이다.

겨드랑이 냄새를 맡는 사람

Peta Johns는 국제적인 화장품 회사에서 일하는 '겨드랑이 냄새 검사자'이다. 그녀의 일은 회사의 냄새 제거제를 시험하기 위해 낯선 사람들의 겨드랑이 냄새를 맡는 것이다. 그녀는 처음에는 이상했지만, 지금은 익숙해 졌다고 이야기한다.

골프공 잠수부

스쿠버 다이빙을 해보고 싶은가? 골프장에서 하는 것은 어떤가? 골프공 잠수부는 골프장 연못과 호수 바닥을 탐색한다. 그들은 잃어버린 골프공을 모으고, 깨끗이 청소해서 되판다. 애리조나주에 있는 잠수부 Justin Binga는 1년에 거의 30,000달러를 번다.

문제 해설

1 ① 과거에 인기 있었던 직업
② 세계의 특이한 직업
③ 미래에 보수가 좋은 직업
④ 세계에서 가장 오래된 직업
⑤ 청소년들이 꿈꾸는 직업

2 Justin Binga는 잃어버린 골프공을 주인에게 찾아 주는 것이 아니라 이를 되판다.

3 그녀는 회사의 냄새 제거제를 시험하기 위해 겨드랑이 냄새를 맡는다.
Peta Jones는 왜 낯선 사람들의 겨드랑이 냄새를 맡는가?

어휘 충전

weird a. 기이한, 기묘한 hear of ~에 대해 듣다
wonder v. 궁금해하다 taster n. 맛 감식가
for a living 생계 수단으로 department store 백화점
favorite n. 가장 좋아하는 것 luxury a. 고급의
underarm a. 겨드랑이의 sniffer n. 냄새를 맡는 사람
odor n. 냄새 international a. 국제적인
cosmetics n. 화장품 stranger n. 낯선 사람
bottom n. 맨 아래, 바닥 pond n. 연못 collect v. 모으다
resell v. 되팔다 odd a. 이상한, 특이한
well-paid a. 보수가 좋은 profession n. 직업

구문 분석

1행 What's *the weirdest job* (which/that) you've ever heard of?

: 선행사 the weirdest job 뒤에 목적격 관계대명사 which 또는 that이 생략되었다.

3행 Do you ever **wonder** what pet food tastes like?

: what 이하는 wonder의 목적어 역할을 하는 「의문사+주어+동사」 어순의 간접의문문이다.

3행 There are *some people* **who** actually taste pet foods for a living.

: who는 some people을 선행사로 하는 주격 관계대명사이다.

9행 Her job is **to smell** strangers' underarms **to test** the company's deodorants.

: to smell은 to부정사의 명사적 용법으로 이 문장에서 보어 역할을 한다.

: to test는 to부정사의 부사적 용법으로 '~하기 위해'라는 뜻의 목적을 나타낸다.

10행 She says (that) it was strange at first, but now she's **used to** it.

: says 뒤에 명사절을 이끄는 접속사 that이 생략되었다.

: be used to는 '~에 익숙하다'는 뜻이다.

Review Test p. 74

❶ A 1④ 2⑤
B 1 device 2 expert 3 mental 4 harmful

❷ A 1① 2④
B 1 spell 2 pressure 3 claimed 4 judges

❸ A ②
B 1 recycle 2 obvious 3 construction
4 materials 5 creative

❹ A 1③ 2②
B 1 stranger 2 collect 3 international 4 odor

Chapter 08

1 Art p. 78

1② 2⑤

지문 해석

파블로 피카소의 '평화의 비둘기'를 알고 있는가? 그것은 물감으로 그린 그림이 아니라, 단순한 선화(線畵: 선으로 그린 그림)이자, 유명한 반전의 상징이다. 그것은 피카소의 첫 번째 반전 시위가 아니었다. 아마 그의 가장 유명한 반전 작품은 Guernica일 것인데, 그것은 1937년 파리 세계 박람회를 위해 그렸던 것이다. 많은 미술가들은 그것이 세계 최고의 반전 그림이라고 말한다. Guernica의 성공과 2차 세계대전의 종식에 뒤이어, 피카소는 1949년에 파리에서 열린 첫 번째 세계 평화 회의를 위한 상징을 디자인하기 위해 초청되었다. 그는 절친한 친구인 프랑스 화가 앙리 마티스가 그에게 준 그림에서 그 디자인에 대한 아이디어를 얻었다. 그 상징은 비둘기 그림이었다. 피카소는 그것을 세계에서 가장 아름다운 평화의 상징 중 하나로 만들어냈다.

문제 해설

1 미술가들은 피카소의 Guernica를 세계 최고의 반전 그림이라고 평했다.

2 '그 상징은 비둘기 그림이었다'는 피카소가 그 디자인을 생각해 냈다는 문장 뒤에, 피카소가 그것을 세계에서 가장 아름다운 평화의 상징 중 하나로 만들었다는 문장 앞에 오는 것이 적절하다.

어휘 충전

peace n. 평화 simple a. 간단한, 단순한 drawing n. 그림
anti-war a. 전쟁 반대의, 반전의 symbol n. 상징, 부호
protest n. 항의, 시위(운동) perhaps ad. 아마, 어쩌면
fair n. 박람회 historian n. 역사가
following prep. ~에 따라, ~에 뒤이어 success n. 성공
international a. 국제적인 conference n. 회의
get an idea 영감, 생각을 얻다
make A into B A를 B로 만들다

구문 분석

1행 It's **not** a painting, **but** a simple line drawing ~
:「not A but B」는 'A가 아니라 B이다'라는 뜻이다.

4행 Perhaps his most famous anti-war painting is *Guernica*, **which** he painted for the 1937 World's Fair in Paris.
: which는 계속적 용법의 관계대명사로 Guernica를 보충 설명해 준다.

7행 ~ Picasso **was invited** to design a symbol for the First International Peace Conference ~
: Picasso가 초대받은 상황이므로 수동태(be동사 + 과거분사)로 나타낸다.

9행 He got an idea for his design from *a picture* **which** his friend, the French artist Henri Matisse, gave to him.
: 목적격 관계대명사절 which 이하는 앞에 나온 a picture를 수식한다.

2 Sports p. 79

1① 2 fail, realizes

지문 해석

영국 국가보건 서비스의 새로운 프로젝트에 따르면, 파도타기 수업은 우울증과 문제 행동에 탁월한 치료법이다. 그 프로젝트는 문제가 있는 젊은이들을 위해 무료 파도타기 과정을 운영한다. 14세인 Brendon은 위탁 보호를 받았고 학교 성적이 매우 나빴다. 하지만 다섯 번의 파도타기 수업 이후에 그는 이미 물결을 잡고 있었다. 그는 또한 기분이 많이 나아졌다. Brendon은 "나는 이제 학교에서 더 행복하고 친구를 많이 사귀고 있어요."라고 말했다. 프로젝트의 매니저인 Jo Taylor는 "아이들이 파도타기를 치료로 보지 않기 때문에 좋습니다. 하지만 그건 정말로 아이들의 자신감을 향상시킵니다."라고 말했다. 처음에 대부분의

아이들은 자신들이 실패할 것이라고 생각한다. 하지만 아이는 징말로 할 수 있다고 깨달을 때, 새로운 사람이 된다. 그러고 나서 아이는 도와주면 거의 무엇이든지 해낼 수 있다고 생각하기 시작한다.

문제 해설

1 The project runs free surfing courses for troubled young people.에서 답을 찾을 수 있다.
① 문제를 일으키는 젊은이
② 서핑을 배우고 싶어 하는 젊은이
③ 좋은 성적을 받는 젊은이
④ 자존심이 높은 젊은이
⑤ 건강 문제가 있는 젊은이

2 At the beginning, most kids think they will fail. But when a kid realizes he can actually do it, he becomes a new person.에서 빈칸에 알맞은 말을 찾을 수 있다.
처음에 대부분의 아이들은 그들이 실패할 것이라고 생각한다. 하지만 아이가 정말로 할 수 있다고 깨달을 때, 그는 새로운 사람이 된다.

어휘 충전

surfing n. 서핑, 파도타기 depression n. 우울증
according to ~에 따르면 run v. 운영하다
troubled a. 문제가 있는 foster care 위탁 보호
do badly at school 학교 성적이 나쁘다 therapy n. 치료
improve v. 향상시키다 self-esteem n. 자신감
at the beginning 처음에 fail v. 실패하다 realize v. 깨닫다
support n. 도움, 지지 achieve v. 달성하다, 성취하다

구문 분석

6행 But after five surfing lessons, he **was** already **catching** waves.
: 과거진행형은 과거 어느 한 시점에 하고 있던 일을 나타내며 「be동사의 과거형+~ing」 형태이다.

9행 But it really **does** improve their self-esteem.
: 조동사 do(does, did)는 동사 앞에서 동사를 강조할 때 사용하고 뒤에는 동사원형이 온다.

10행 most kids think (that) they will fail
: think의 목적어 역할을 하는 명사절이 뒤에 왔으며, 접속사 that이 생략되었다.

3 Education p. 80

1 ① 2 ⑤
3 you can change the way you look at yourself

지문 해석

만약 당신이 삶에서 고통을 줄이고 행복을 늘리고 싶다면, 자원봉사가 정말 좋은 방법이다. 물론, 자원봉사는 다른 사람들을 돕지만, 당신을 돕기도 한다. 먼저, 당신은 가치 있는 작업 능력과 경험을 얻을 수 있다. 당신이 잘하고 가장 즐거워하는 것을 알아낼 수 있다. 둘째로, 다른 사람들이 당신에게 의지할 때, 당신은 스스로를 바라보는 방법을 바꿀 수 있다. 당신이 그들을 위해 뭔가 좋은 일을 했기 때문에 심지어 스스로를 자랑스러워할 수도 있다. 이는 당신의 삶이 의미 있다는 것을 보여주기도 한다. 셋째로, 자원봉사는 당신의 삶에 대해 더 나은 관점을 갖게 한다. 성적과 친구들, 작은 다툼을 걱정하느라 시간을 낭비하기가 쉽다. 자원봉사는 당신이 이런 일을 처리할 수 있도록 돕는다. 이는 당신 자신 대신에 다른 사람들에게 집중할 수 있도록 돕는다. 마지막으로, 자원봉사는 지루함에 대한 훌륭한 치료법이다. 그것은 공부로부터의 휴식이며 대체로 정말 즐겁다!

문제 해설

1 자원봉사가 삶에 도움이 된다는 것을 설명한 글이다.
① 자원봉사가 어떻게 당신을 돕는가
② 당신에게 적합한 직업을 찾는 것
③ 당신의 관점을 바꾸는 방법
④ 당신 자신을 자랑스러워하는 방법
⑤ 자원봉사를 하기 전에 준비해야 할 것들

2 사회적으로 성공할 수 있게 해 준다는 내용은 언급되지 않았다.

어휘 충전

reduce v. 줄이다 suffering n. 고통, 괴로움
increase v. 증가시키다 volunteering n. 자원봉사
gain v. ~을 얻다 valuable a. 가치 있는
experience n. 경험 be good at ~을 잘하다
depend on ~에 의지하다
feel proud of ~을 자랑스럽게 느끼다
meaningful a. 의미 있는 point of view 관점, 견해
grade n. 성적 deal with 다루다, 처리하다
instead of ~ 대신에 remedy n. 치료법
boredom n. 지루함 break n. 휴식시간

구문 분석

4행 You can find out *the things* (that) you're good *at* and *enjoy* the most.
: 목적격 관계대명사 that은 생략할 수 있다.

6행 ~ because you did **something** good for them
: -thing, -body, -one, -where로 이루어진 명사는 형용사가 뒤에서 수식한다.

8행 Third, volunteering **gives** you a better point of view on your own life.

: 「give + 간접목적어 + 직접목적어」 ~에게 …을 주다

9행 **It**'s easy **to waste** time worrying about grades, friends, and little fights.

: It은 가주어, to waste가 이끄는 구가 진주어이다.

10행 It helps you focus on others **instead of** yourself.

: instead of는 '~대신에'라는 뜻이며, 다음에 명사가 온다.

4 Information p. 82

1 ⑤　2 ③, ⑤　3 ④

이미지 맵

(1) Which Is Better: the Left Side or the Right Side of the Face?

(2) attractive　(3) the same

(4) emotion　(5) lights up

지문 해석

사진에서 더 예쁘게 보이는 방법을 알고 싶은가? 그렇다면, 당신의 얼굴을 오른쪽으로 살짝 돌리면 된다! 많은 연구에 따르면, 사람들의 왼쪽 옆얼굴은 보통 오른쪽 옆얼굴보다 더 매력적이다. 무슨 일인 걸까? 자, 당신의 양옆 얼굴은 완전히 똑같지 않다. 그것들은 다소 다르고, 그 차이는 나이를 먹어감에 따라 커진다. 이는 당신 뇌의 오른쪽 부분이 당신 얼굴의 왼쪽을 움직이고, 왼쪽 부분이 오른쪽을 움직이기 때문이다. (하지만 나이보다 어리게 보이는 것은 가능하다.) 우뇌가 더 감성적이라는 것을 명심해라. 그러므로, 왼쪽 옆얼굴이 더 많은 감정, 특히 사랑과 유머를 보여준다. 다시 말하자면, 그것은 가장 "환해지는" 부분이다. 그리고 얼굴이 '환해질' 때, 더 사랑스러워 보인다. 예로부터 화가들은 이에 동의하는 것 같다. 한 연구에서 유럽의 유명한 초상화의 3분의 2가 사람 얼굴의 왼쪽 부분을 보여주고 있다는 것을 발견했다! 그러니까 왼쪽 얼굴이 더 나은 얼굴이다.

문제 해설

1 얼굴의 왼쪽 면이 오른쪽 면보다 더 매력적이다는 내용이다.

① 당신의 외모를 바꾸는 방법

② 어떤 색이 당신을 사진에서 예쁘게 만드는가?

③ 왜 화가들은 아름다운 여자들을 좋아하는가?

④ 뇌와 얼굴 사이의 차이점

⑤ 어느 쪽이 더 나은가: 왼쪽 옆얼굴인가 아니면 오른쪽 옆얼굴인가

2 4행에서 얼굴의 양쪽은 정확히 똑같지는 않다고 했으며 9행에서 얼굴의 왼쪽 부분이 더 많은 감정을 나타낸다고 했다.

① 사진을 찍을 때 약간 오른쪽으로 얼굴을 돌려라.

② 사람들의 왼쪽 얼굴이 오른쪽 얼굴보다 대개 더 매력적이다.

③ 사람들 얼굴의 양쪽은 정확하게 같다.

④ 뇌의 왼쪽 부분이 얼굴의 오른쪽 부분을 움직인다.

⑤ 얼굴의 오른쪽 부분이 더 많은 감정을 나타낸다.

3 나이보다 어리게 보이는 것이 가능하다는 내용은 우뇌가 왼쪽 얼굴을 좌뇌가 오른쪽 얼굴을 움직인다는 문맥과 관련이 없다.

어휘 충전

study n. 연구, 조사　turn A to B A를 B쪽으로 향하다
side n. 면, 부분　attractive a. 매력적인　exactly ad. 정확히
more or less 다소, 대략　difference n. 차이
with age 나이 듦에 따라　keep in mind 명심하다
emotional a. 감성적인　therefore ad. 그러므로
especially ad. 특히, 유난히　in other words 다시 말해서
light up 밝게 하다, 밝아지다　throughout prep. ~동안, 내내
agree v. 동의하다　portrait n. 초상화

구문 분석

1행 Do you want to know **how to look** prettier in photos?

: 「how to + 동사원형」은 '~하는 방법'이라는 뜻이고, how가 이끄는 구는 know의 목적어가 된다.

10행 it's *the side* [**that** "lights up" the most]

: 주격 관계대명사 that이 이끄는 절이 선행사 the side를 수식한다.

10행 And when a face "lights up," it **looks lovelier**.

: 「look + 형용사」는 '~하게 보이다'라는 뜻이다.

11행 Painters throughout history **seem** to agree.

: seem은 to부정사를 목적어로 취하는 동사이며, '~인 듯 하다'라는 뜻이다.

Review Test p. 84

❶ A 1 ② 2 ③
B 1 simple 2 peace 3 protest 4 idea

❷ A 1 ① 2 ②
B 1 run 2 realize 3 support 4 beginning

❸ A ②
B 1 deal with 2 valuable 3 volunteering 4 gain

❹ A 1 ③ 2 ⑤
B 1 more or less 2 Therefore 3 Keep in mind 4 In other words

Chapter 09

1 Life p. 88

1 ④ 2 ⑤

지문 해석

자신이 낙천주의자라고 생각하는가 혹은 비관주의자라고 생각하는가? 질문에 대답하기 전에, 이 글을 읽어 보아라. 낙천주의자와 비관주의자를 조사한 연구원들은 낙천주의자가 더 행복하고, 건강하며, 성공적이라는 것을 발견했다. 그럼, 지금 당신의 대답은 무엇인가? 당신은 낙천주의자인가? 비록 낙천주의자가 아니더라도, 낙천주의자가 되고 싶을 것이다. 여기 당신이 시도할 수 있는 방법들이 있다. 먼저, 하루에 10분은 알아낸 좋은 일들과 감사한 일들을 적어라. 다음으로, 당신이 인생에 좋은 일이 생기게 할 수 있다고 생각하고, 당신이 긍정적인 결과를 낼 수 있다고 말하도록 스스로를 훈련시켜라. 마지막으로, 비록 일이 잘못될지라도, 스스로를 탓하지 마라. 지나간 일은 과거일 뿐이다. 그저 밝은 미래를 상상하라. 당신은 더 행복하고, 더 건강하고, 더 성공적인 삶을 살 수 있다.

문제 해설

1 낙천주의자가 되는 방법으로 미소에 대한 내용은 언급되지 않았다.

2 '지나간 일은 과거일 뿐이다'라는 의미이므로 그저 밝은 미래를 상상해 보라는 문장 앞에 오는 것이 내용상 가장 적절하다.

어휘 충전

consider v. 여기다, 생각하다 optimist n. 낙천주의자
pessimist n. 비관주의자 successful a. 성공적인
write down ~을 적다 notice v. ~을 의식하다
be grateful for ~에 감사하다 train v. ~을 교육시키다
achieve v. ~을 달성하다 positive a. 긍정적인
outcome n. 결과 go wrong 실패하다, 어긋나다
blame v. ~을 탓하다 imagine v. ~을 상상하다

구문 분석

3행 Researchers **studied** optimists and pessimists, *and* **found** out / **that** optimists were happier, healthier, and more successful.

: studied와 found가 and로 연결된 병렬 구조이다.

: that은 found out의 목적어절을 이끄는 접속사이다.

6행 Here's **how you can try**.

:「here is/are ~」는 '(여기) ~가 있다'라는 뜻으로 be동사 뒤에 오는 것이 주어이다. 「how you can try」는 '당신이 시도해 볼 수 있는 방법'이라는 뜻이고, 관계부사 how가 이끄는 절이 이 문장의 주어가 된다.

7행 take *10 minutes a day* **to write** down *the good things* [(that) **you noticed** *and* **are grateful for**]

: to write는 10 minutes a day를 수식하는 형용사적 용법이다.

: things와 you 사이에 the good things를 수식하고, noticed와 for의 목적어가 되는 목적격 관계대명사가 생략되었고, you noticed와 are grateful for이 and로 연결된 병렬 구조이다.

8행 train yourself to [**think that** you can **make** *good things* happen] in your life *and* [**say that** you can achieve positive outcomes]

: think ~ happen과 say ~ outcomes가 and로 연결된 병렬 구조이다.

:「make + 목적어(good things) + 목적격보어(동사원형: happen)」 ~을 …하게 만들다

문제 [**What** is past] *is* past.

: 선행사를 포함하는 관계대명사 what이 이끄는 절이 주어이고, what절은 단수 취급한다.

2 Language p. 89

1 (1) F (2) T (3) F 2 ④

지문 해석

새로운 언어를 배우는 것은 쉽지 않다. 하지만 모든 언어가 똑같이 배우기 어려운 것은 아니다. 어떤 것은 쉽고, 다른 어떤 것은 어렵다. 당신이 쓰는 언어와 관련된 언어는 배우기 더 쉽다. 당신의 언어와 관련되지 않은 것은 더 어렵다. 모든 언어가 달라 보이겠지만, 많은 언어들은 같은 뿌리를 갖고 있다. 같은 뿌리를 가진 언어는 보통 두 가지에서 공통점이 있는데 그것은 문법과 어휘이다. 영어와 프랑스 어를 예로 들어보자. 그들은 뿌리가 같다. 그리고 주어, 동사, 목적어로 어순도 같다. 게다가, 공통적인 단어가 수천 개가 있다. 사실, 프랑스 어를 10,000개 정도 알고 있는 영어권 사람들이 많다. 프랑스 어를 전혀 공부하지 않고서 말이다! 그러므로 만약 다른 언어를 빨리 배우고 싶다면, 모국어와 관련된 언어를 선택하라!

문제 해설

1 (1) 배우기 어려운 언어도 있고, 배우기 쉬운 언어도 있다.
(3) 같은 뿌리를 가진 언어는 문법과 어휘에 공통점이 있다.

2 모국어와 관련된 언어가 더 배우기 쉽다고 했으므로 모국어와 관련된 언어를 선택하라는 것이 적절하다.

① 배우고 싶었던 언어를 선택하라.
② 젊은 사람들이 사용하는 언어를 선택하라.
③ 그 언어가 사용되는 나라로 가라.
④ 모국어와 관련된 언어를 선택하라.
⑤ 모국어를 사용할 수 없는 나라로 가라.

어휘 충전

language n. 언어 equally ad. 똑같이
be related to ~와 관계가 있다 share v. 공유하다
root n. 뿌리, 근원 in common 공동으로 grammar n. 문법
vocabulary n. 어휘 order n. 순서 subject n. 주어
verb n. 동사 object n. 목적어

구문 분석

1행 **Learning** a new language *is* not easy.
: Learning a new language는 동명사구로 문장의 주어 역할을 하고, 동명사구 주어는 단수 취급한다.

1행 But **not all** languages are equally difficult to learn.
: not all은 부분 부정으로 '모두 ~한 것은 아니다'라는 뜻이다.

2행 *Languages* [**that** are related to yours] are easier to learn.
: 주격 관계대명사 that이 이끄는 절이 선행사 Languages를 수식한다.

4행 Although all languages **seem different**
: 「seem + 형용사」는 '~처럼 보이다'는 뜻으로 「seem to be + 형용사」로 쓰일 수도 있다.

11행 So if you **want to learn** another language quickly, choose *a language* [related to your mother tongue]!
: to learn은 to부정사의 명사적 용법으로 want의 목적어 역할을 한다.
: related 이하는 앞의 a language를 꾸며 주는 과거분사구이다.

3 Architecture p. 90

1 ① 2 ③
3 Can you guess what the company makes

지문 해석

많은 건물들이 아름답다. 하지만 어떤 건물들은 단지 아름다운 것으로 그치지 않는다. 한번 살펴보자.

바구니 집, 미국

오하이오 뉴어크에 있는 이 거대한 바구니는 한 내기업의 본사이다. 당신은 이 회사가 무엇을 만드는지 추측할 수 있겠는가? 그렇다, 바구니이다. 이 건물은 7층이며, 500명의 직원을 위한 공간이 있다. 두 개의 손잡이 무게만 136,077kg이다.

비뚤어진 집, 폴란드

그 집은 평범해 보이지 않는다. 이상한 거울 안에 있는 것처럼 보인다. 디자인은 동화책에서 영감을 받았으며, 폴란드에서 가장 많이 사진에 찍히는 건물이라고 한다.

코끼리 건물, 태국

이 거대한 건물은 눈과 귀, 다리, 상아와 거대한 코를 가지고 있다. 이 건물은 태국의 상징 동물인 코끼리와 닮게 지어졌다. 이 건물은 사무실과 아파트, 쇼핑몰, 휴양 공원, 맨 위층의 고급 펜트하우스가 있는 세 개의 타워를 포함하여 7개의 부분으로 되어 있다.

문제 해설

1 특이한 디자인의 건물들을 소개하고 있다.
① 특별하게 디자인된 건물
② 가장 비싼 건물
③ 가장 인기 있는 관광지
④ 다른 나라, 다른 건물
⑤ 가장 인기 있는 건축가가 디자인한 건물

2 마치 이상한 거울 안에 있는 것처럼 보인다고 했지만 건물 내부에 거울이 설치되어 있다는 것은 언급되지 않았다.

3 「Can you guess + 의문사 + 주어 + 동사?」 ~을 추측할 수 있겠는가?

어휘 충전

take a look (한번) 보다 located in ~에 위치한
headquarters n. 본사, 본부 story n. (건물의) 층
space n. 공간, 장소 employee n. 고용인 handle n. 손잡이
weigh v. 무게가 ~이다 crooked a. 비뚤어진
normal a. 정상적인 mirror n. 거울
be inspired by ~에 의해 영감을 받다 fairytale n. 동화
photograph v. ~의 사진을 찍다 enormous a. 막대한, 거대한
trunk n. (코끼리) 코 resemble v. 닮다, 비슷하다
recreation n. 오락

구문 분석

1행 But some are **more than just** beautiful.
: more than just는 '~ 이상의 것이다, ~에 그치지 않는다'는 뜻이다.

4행 *This giant basket*, [located in Newark, Ohio,] is the national headquarters of a big company.
: located가 이끄는 구는 앞의 명사를 수식하는 과거분사구이다.

9행 It doesn't **look** normal. It **looks like** it's in a crazy mirror.
: 「look + 형용사」, 「look like + 명사(명사절)」는 '~처럼 보인다, ~로 생각되다'는 뜻이다.

9행 The design **was inspired by** a book of fairytales, and it is said to be Poland's most photographed building.

: was inspired by는 「be동사+과거분사+by」의 수동태 구문으로 '~에서 영감을 받았다'는 뜻이다.

4 Academic p. 92

1 ② 2 (1) ⓑ (2) ⓒ (3) ⓐ
3 신뢰할만한 정보인지 반드시 확인한다.

이미지 맵

(1) How to Write a Research Paper
(2) choose (3) topic (4) outline
(5) draft (6) Proofread (7) Submit

지문 해석

연구 논문을 쓰기 시작하려고 하는가? 그것은 엄청나 보일 수 있지만 당신은 해낼 수 있다. 이 간단한 과정만 잘 따라오면 된다. 첫째, 주제를 선택해야 하므로, 아이디어를 구상하라. 일단 주제를 정했으면 조사를 시작할 수 있다. 도서관에 가서 주제와 관련된 책, 잡지, 신문 기사를 찾아보아라. 인터넷으로도 조사할 수 있으나, 출처가 신뢰할만한 정보인지 반드시 확인하라. 조사를 끝낸 후, 당신이 사용한 출처를 적어라. 그 자료들은 논문의 마지막에 인용 표시를 해야 한다. 이제 모든 정보를 모았으므로, 개요를 작성하라. 그러면 당신은 초고를 쓸 준비가 된 것이다. 초고는 서론, 본론, 결론 이렇게 주요 세 부분으로 나뉘어야 한다. 초고를 다 마치면 여러 번 검토하고 수정하라. 모든 의견이 분명하고, 주제를 잘 뒷받침하는지 확인하라. 최종 원고 교정을 보아라. 철자, 문법, 구두점의 틀린 곳을 바로잡아라. 만족스럽다고 생각되면, 제시간에 제출하라.

문제 해설

1 연구 논문을 쓰는 방법에 대한 글이다.
① 성공하는 작가가 되는 방법
② 연구 논문을 쓰는 방법
③ 보고서를 위한 자료를 수집하는 방법
④ 사무실에서 종이를 재활용하는 방법
⑤ 대화를 위해 좋은 주제를 선택하는 방법

2 (1) 서론, 본론, 결론으로 작성해야 하는 것은 초고 단계이다.
(2) 교정을 보는 부분은 최종 원고 단계이다.
(3) 자료에 대해 확인하는 것은 조사 단계이다.

3 인터넷으로 조사할 수 있으나, 출처가 신뢰할만한 정보인지 확인하라고 했다.

어휘 충전

be about to 막 ~하려고 하다 research paper 연구 논문
overwhelming a. 압도적인, 엄청난 succeed v. 성공하다
follow v. ~을 따르다 brainstorm v. 브레인스토밍을 하다
decide on ~에 대해 결정하다 once conj. 일단 ~한다면
article n. 글, 기사 search v. 검색하다, 찾다
make sure 확실하게 하다 source n. 출처
trustworthy a. 믿을 수 있는 note v. 기록하다, 언급하다
cite v. 인용하다 outline n. 개요, 윤곽 draft n. 초안, 원고
introduction n. 도입 body n. 본론, 본문 conclusion n. 결론
go over 검토하다 refine v. 개선하다 support v. 뒷받침하다
proofread v. 교정을 보다 correct v. 바로잡다
punctuation n. 구두점 submit v. 제출하다

구문 분석

1행 **Are** you **about to** begin a research paper?

: 「be about to+동사원형」 막 ~을 하려고 하다

3행 you need **to choose** a topic, so brainstorm ideas

: to choose는 to부정사의 명사적 용법으로 need의 목적어 역할을 한다.

3행 **Once** you have decided on a topic, you can start your research.

: once는 '일단 ~하기만 하면'이라는 의미의 접속사로 현재완료나 과거완료 구문과 자주 쓰인다.

6행 **make sure** (that) the source is trustworthy

: make sure는 '반드시 ~하다'는 뜻으로 접속사 that이 생략되었으며 명사절이 따라온다.

6행 After finishing your research, note *the sources* (which/that) you used.

: you used 앞에는 the sources를 선행사로 하는 목적격 관계대명사 which 또는 that이 생략되었다.

13행 When you think (that) you are happy with it, submit it on time!

: think 뒤에는 명사절을 이끄는 접속사 that이 생략되었다.

Review Test p. 94

1 A 1 ② 2 ⑤
B 1 blamed 2 notice 3 grateful 4 achieve

2 A 1 ④ 2 ⑤
B 1 languages 2 order 3 share 4 equally

3 A ①
B 1 weigh 2 handle 3 resemble 4 normal

4 A 1 ② 2 ①
B 1 submit 2 conclusion 3 note 4 article

Chapter 10

1 History p. 98

1 ② 2 They started using paper.

지문 해석

화폐의 역사에 관해서라면, 중국은 근대 화폐의 발생지였다. 중국인들은 약 3,000년 전에 화폐로 별보배 조개껍데기를 사용하기 시작했다. 하지만 먼 내륙에 살고 있는 사람들은 이 바다 조개껍데기를 쉽게 구할 수 없었다. 그래서 그들은 약 2,000년 전에 금속으로 모조 조개껍데기를 만들기 시작했다. 이것이 최초의 금속 주화였다. 수 세기에 걸쳐서, 그 주화는 점차 가운데에 구멍이 있는 평평한 원반으로 바뀌었다. 상인들은 그것을 실에 꿰어 가지고 다녔다. 실로 꿴 수천 개의 주화를 가지고 먼 거리를 여행하는 것은 매우 어려웠다. 이 무거운 짐을 줄이기 위해, 그들은 종이를 대신 사용하기 시작했다. 이것이 세계 최초의 지폐였다.

문제 해설

1 돈의 기원에 대한 전반적인 이야기를 하고 있으므로 전반적인 내용을 아우르는 돈의 기원이 주제로 가장 적절하다.
① 동전을 가지고 다니는 어려움
② 돈의 기원
③ 고대 동전의 발견
④ 동전의 재료
⑤ 첫 번째 종이 돈의 사용

2 이 무거운 짐(this heavy burden)은 실로 꿴 수천 개의 주화를 의미하고, 이에 대한 해결책은 종이를 사용하는 것이었다.

어휘 충전

when it comes to ~에 관한 한 ancient a. 고대의
birthplace n. 발상지, 근원 shell n. 껍데기
inland ad. 내륙으로 imitation n. 모조(품) metal n. 금속
over the centuries 수세기 동안 gradually ad. 점차
change into ~으로 바꾸다 flat a. 평평한
in the middle 가운데에 trader n. 상인
on a string 실에 꿰어서 distance n. 거리
avoid v. ~을 피하다, 막다 burden n. 짐

구문 분석

1행 **When it comes to** the ancient history of money, ~
: when it comes to는 '~에 관한 한'이라는 뜻이며 to 다음에 명사 혹은 동명사가 온다.

4행 But *people* **living far inland** couldn't get these sea shells easily.
: 현재분사구인 living far inland는 앞에 나온 명사 people을 수식한다.

8행 It was very difficult to travel long distances with thousands of coins on strings.
: It은 가주어, to travel long distances ~ strings가 진주어이다.

10행 **To avoid** this heavy burden, they started using paper instead.
: To avoid는 목적을 나타내는 to부정사의 부사적 용법이다.

2 Food p. 99

1 ① 2 비타민 C, 섬유질, 무기질이 매우 풍부해졌다.

지문 해석

키위가 토마토, 감자와 많은 유전자를 공통으로 가지고 있다는 것을 알고 있는가? 그것들은 수백만 년 전에 같은 조상을 가졌다. 키위 나무가 그것들로부터 따로 진화하기 시작했을 때, 키위 나무는 뭔가 이상한 일을 경험했다. 키위 나무의 유전체는 스스로를 두 번 복제했다. 추가로 완벽한 유전자 한 쌍을 만드는 것은 해롭지 않다. 일반적으로 일어나는 일은 추가 유전자가 돌연변이를 일으키고 새로운 형질로 발달하기 시작한다는 것이다. 키위에게 그 변화는 오늘날 우리에게 키위를 매우 중요한 과일로 만들어 주는 몇몇 형질을 형성하도록 도와 줬다. 그것은 매우 많은 비타민 C와 섬유질, 무기질을 가지고 있다.

문제 해설

1 kiwi fruit has many genes in common with tomatoes and potatoes에서 많은 공통점이 있음을 알 수 있으므로 had the same parents가 적절하다.

2 For the kiwi, the changes helped to form some of the characteristics that make it such an important fruit to us today. It has remarkably high vitamin C and plenty of dietary fiber and minerals.에서 유전자 변이로 인해 비타민 C, 섬유질, 무기질이 풍부해졌음을 알 수 있다.

어휘 충전

gene n. 유전자 in common with ~와 마찬가지로
evolve v. 진화하다 separately ad. 별도로, 따로
experience v. 경험하다 copy v. 복제하다 extra a. 추가의
complete a. 완벽한 harmful a. 해로운

characteristic n. 형질, 특징 form v. 형성하다
remarkably ad. 몹시, 매우 plenty of 많은
dietary fiber 섬유질, 섬유소 mineral n. 무기질, 미네랄

구문 분석

1행 Did you know **that** kiwi fruit has many genes in common with tomatoes and potatoes?

: that 이하는 know의 목적어 역할을 하는 명사절이며, 이때 that은 생략 가능하다.

4행 The kiwi plant's genome copied **itself** twice.

: 재귀대명사 itself가 목적어로 사용되었다.

4행 **Making** an extra complete set of genes *isn't* harmful.

: 동명사 making이 이끄는 구가 주어 역할을 하고 동명사구 주어는 단수 취급한다.

5행 **What** usually happens *is* **that** the extra genes mutate and start to develop new characteristics.

: 선행사를 포함하는 관계대명사 what이 이끄는 절이 주어, is가 동사이다.

: 보어절을 이끄는 접속사는 생략할 수 없다.

7행 the changes helped to form *some of the characteristics* [**that** make it **such** an important fruit to us today]

: help는 to부정사와 원형부정사를 받을 수 있으므로 to form의 to는 생략 가능하다.

: 주격 관계대명사 that이 이끄는 절이 선행사 some of the characteristics를 수식한다.

: 「such + a(n) + 형용사 + 명사」 그렇게(매우) ~한 …

3 Health p. 100

1 ④ 2 ③
3 아래턱을 지지해 주고, 기도를 열어 준다.

지문 해석

대부분의 사람들은 코골이가 가벼운 일이라고 생각하지만, 사실 그것은 심각한 건강상의 문제를 야기한다. 코 고는 사람들은 폐쇄성 수면 무호흡증으로 고통받기 때문에 위험하다. 폐쇄성 수면 무호흡증이 있는 사람들은 종종 자는 동안 호흡이 멈춘다. 그들의 혀와 목구멍의 근육이 이완되어서 호흡하는 데 사용되는 기도를 막는 것이다. 폐쇄성 수면 무호흡증으로 고통받는 사람들은 1분까지 호흡이 멎을 수 있고, 이는 하룻밤에 수백 번씩 일어날 수 있다. 폐쇄성 수면 무호흡증은 또한 위산 역류, 기억력 감퇴, 우울증, 심장 질환과 관련되어 있다. 다행스럽게도 이제 간단한 해결책이 가능하게 되었다. 그것은 아래턱을 지지해 주고 기도를 열어 주는 턱 끈이다. 이 턱 끈은 코골이를 멈추고, 잠을 잘 자며 건강을 보호하도록 많은 사람을 도와줄 것이다.

문제 해설

1 코골이가 폐쇄성 수면 무호흡증으로 이어질 수 있다는 사실을 알려 주며 이에 대한 정보를 제공하고 있다.
① 질문하려고 ② 초대하려고 ③ 사과하려고
④ 정보를 제공하려고 ⑤ 불평하려고

2 ① OSA로 인해 사망자가 나왔다는 말은 없다.
② OSA에 대한 해결책으로 턱 끈이 있다.
④ 가족에게 피해를 준다는 말은 없다.
⑤ 여러 가지 질병이 발생할 수 있지만 뇌사 상태에 빠질 수 있다는 말은 없다.

3 It's a chin strap that supports the lower jaw and keeps the airway open.에서 턱 끈은 아래턱을 지지해 주고, 기도를 열어 줌을 알 수 있다.

어휘 충전

snore v. 코를 골다 minor a. 작은, 가벼운
cause v. 야기하다 serious a. 심각한
snorer n. 코 고는 사람 suffer from ~로 고통받다
frequently ad. 자주, 흔히 breathe v. 호흡하다
throat n. 목구멍 muscle n. 근육 relax v. (근육이) 이완되다
block v. 막다 airway n. (숨을 쉬는) 기도
sufferer n. 고통받는 사람, 환자 up to ~까지
per prep. ~마다 be linked to ~와 연관되다
memory loss 기억력 감퇴 depression n. 우울증
heart disease 심장 질환 available a. 이용할 수 있는, 유용한
support v. 지지하다 jaw n. 턱 protect v. 보호하다

구문 분석

6행 Their tongue and throat muscles relax and block *the airway* which is used to breathe.

: which 이하는 the airway를 선행사로 하는 주격 관계대명사절이다.

9행 OSA **has** also **been linked** to acid reflux, memory loss, depression, and heart disease.

: OSA가 현재에도 acid reflux ~ heart disease와 관련이 있으므로 현재완료를 이용했고, 「be linked to + 명사(구)」는 '~와 관련이 있다'라는 뜻이다.

11행 It's *a chin strap* **that** supports the lower jaw and keeps the airway open.

: 주격 관계대명사 that이 이끄는 절이 선행사 a chin strap을 수식한다.

12행 This strap will **help** lots of people to **stop** snoring, **sleep** better, and **protect** their health.

: 「help + 목적어 + (to) + 동사원형」 ~가 …하는 것을 돕다

4 Science p. 102

1 ④ 2 ④

3 백열전구가 열로 많은 에너지를 낭비하기 때문에

이미지 맵

(1) How Light Bulbs Work

(2) fine (3) filled with (4) airtight

(5) burn up (6) glow

지문 해석

백열전구는 거의 150년 동안 세계를 밝혀 왔다. 백열전구는 여전히 빛을 만드는 것을 훌륭히 해내고 있다. 하지만 그것은 어떻게 작동할까? 기본적으로, 백열전구는 매우 가는 금속선이 안에 있는 유리 방울이다. 또한 그 방울은 불활성 기체로 가득 차 있고, 산소가 가는 선을 태워버릴 수 있기 때문에 공기가 들어가지 않도록 밀폐되어 있다. 전류는 매우 높은 온도까지 올려 그 선을 뜨겁게 만들고, 이것이 빛이 나게 만드는 것이다. 사실, '열전구'가 '백열전구'보다 더 알맞은 이름일 수도 있다. 왜냐하면 백열전구는 그것의 거의 모든 에너지를 열로 바꾸기 때문이다. 그래서 백열전구는 열로 많은 에너지를 낭비한다. 그래서 LED 전구와 다른 멋진 대용품이 서서히 백열전구를 대체하고 있는 것이다. 머지않아, 변변찮은 백열전구는 더 이상 없을 것이다.

문제 해설

1 백열전구가 어떻게 빛을 내는지에 대한 글이다.

① 빛을 내는 방법

② 에너지를 절약하는 방법

③ 백열전구의 종류

④ 백열전구가 작동하는 방법

⑤ 사람들이 백열전구를 사용하는 이유

2 백열전구가 거의 모든 에너지를 열이 되게 하기 '때문에' 열전구라는 이름이 더 어울린다는 흐름이 적절하다.

3 백열전구가 열로 많은 에너지를 낭비하기 때문에 LED 전구와 다른 대안들이 대체하고 있다고 언급하고 있다.

LED 전구와 다른 대용품이 서서히 백열전구를 대체하고 있는 이유는 무엇인가?

어휘 충전

light bulb 백열전구 light up v. 불을 밝히다
basically ad. 기본적으로 bubble n. 방울
fine a. 가는, 미세한 wire n. 철사
be filled with ~로 가득 차다 airtight a. 밀폐된
keep ~ out ~이 들어가지 못하게 하다 oxygen n. 산소
burn up v. ~을 완전히 태우다 heat v. ~을 뜨겁게 하다 n. 열
temperature n. 온도 glow v. (은은히) 빛나다, 타다
suitable a. 알맞은, 적합한 turn A into B A를 B로 바꾸다
alternative n. 대안, 대체 take over ~을 대신하다
humble a. 변변치 않은 be no more ~이 없다
since conj. ~ 때문에

구문 분석

1행 Light bulbs **have lighted up** the world for nearly 150 years.

: have lighted up은 '계속'을 나타내는 현재완료로, 기간을 나타내는 전치사 for와 함께 쓰였다.

4행 The bubble [is also filled with inert gas] and [is made airtight **to keep** oxygen out]

: People **make** *the bubble* airtight to keep oxygen out.
「make + 목적어(the bubble) + 목적격보어(형용사: airtight)」 ~을 …하게 만들다

→ *The bubble* **is made** airtight to keep oxygen out.

: to keep oxygen out은 '산소가 들어오지 못하게 막기 위해'라는 뜻으로 목적을 나타내는 부사적 용법이다.

6행 this **makes** it glow

: 「make + 목적어 + 동사원형」 ~가 …하게 하다

9행 **That's why** LED bulbs and other cool alternatives are slowly taking over.

: 「That's why ~」 그래서 ~ 하는 것이다, 그것이 ~ 하는 이유이다

Review Test p. 104

❶ A 1 ③ 2 ②
B 1 ancient 2 in the middle 3 distance 4 as

❷ A 1 ③ 2 ④
B 1 complete 2 plenty of 3 separately 4 experience

❸ A ①
B 1 suffer 2 relax 3 block 4 cause

❹ A 1 ② 2 ②
B 1 alternative 2 still 3 temperature 4 since

Workbook

Chapter 01

1 Health p. 1

A
1 포함하다, 함유하다
2 비만
3 (제품을) 출시하다
4 보통의
5 반면에
6 spread
7 product
8 terrible
9 store
10 replace

B
1 Did you know that he is only twenty years old?
2 Did you know that she likes baseball?
3 Did you know that she got an A on the test?

C
1 High-fat foods caused diabetes and obesity.
2 Low-fat products hit the shelves.
3 How was the problem solved?

2 Jobs p. 2

A
1 알아내다
2 (행사 등이) 다가오다
3 선택하다
4 특별히 포함하다
5 적합하다
6 passion
7 manage
8 multiple
9 for free
10 promote

B
1 What's the best part?
2 What's the fastest animal in the world?
3 What's the tallest building in the world?

C
1 What does she do on a normal day?
2 She finds travel writers to write about the events.
3 San Francisco has too many great events to see.

3 Stories p. 3

A
1 눈이 먼
2 ~을 가엾게 여기다
3 동시에
4 ~을 쫓아내다
5 돌아오다
6 search for
7 made from
8 waist
9 turn into
10 pouch

B
1 It was wine made from green grapes.
2 It was fuel made from corn.
3 It was bread made from white flour.

C
1 It was not easy to help him.
2 The kangaroo chased the hunter away.
3 He gave her a wonderful gift.

4 Technology p. 4

A
1 그때는
2 끊임없이
3 대규모의
4 파괴
5 원래의
6 remain
7 hidden
8 beware of
9 majority of
10 curious

B
1 We must beware of wet floors.
2 We must beware of the dog.
3 We must beware of icy roads.

C
1 The word "hacker" didn't have a negative meaning.
2 Hackers can make computers do anything.
3 The hackers do all those good and bad things.

Chapter 02

1 Culture p. 5

A
1 고리
2 전통적으로
3 악몽
4 ~을 통과하다
5 가두다, 끼이다
6 fascinating
7 culture
8 feather
9 hang
10 ray

B
1 New York is one of the most famous cities in the world.
2 The festival was one of the biggest events of the year.
3 She is one of the smartest students in our school.

C 1 Mothers made them for their children.
2 The night air was filled with dreams.
3 Bad dreams could not pass through.

2 Psychology p. 6

A 1 지저분한 6 publish
2 약간, 조금 7 tidy
3 낮추다 8 main
4 불빛이 어둑한 9 ability
5 창의력 10 boost

B 1 Keep your room clean.
2 Keep your hands warm.
3 Keep your children quiet.

C 1 Make blue the main color that you look at.
2 All students were tested for creative problem-solving ability.
3 They produced twice as many creative ideas as the others.

3 Information p. 7

A 1 인기 없는 6 back seat
2 자동차 7 crash
3 무너지다, 붕괴하다 8 passenger
4 흡수하다 9 in order to
5 불편한 10 impact

B 1 That's why she wants to be a doctor.
2 That's why I usually take the subway.
3 That's why I was a little bit late this morning.

C 1 Who wants to sit in the middle back seat in a car?
2 The most unpopular seat in the car happens to be the safest.
3 This is because the middle seat has a bigger "crush zone."

4 Education p. 8

A 1 괴롭히다, 약자를 괴롭히는 사람 6 basically
2 잔인한 7 harmful
3 구식의 8 victim
4 익명인 9 overwhelmed
5 심각하게 10 contact

B 1 The exam was more difficult than I expected.
2 Summer this year will be hotter than summer last year.
3 Advertising on the Internet is more effective than in the newspaper.

C 1 What can we do to stop it?
2 Cyber bullying can happen anywhere.
3 Most Internet companies take cyber bullying very seriously.

Chapter 03

1 Stories p. 9

A 1 진귀한, 드문 6 sugary
2 먹다, 마시다 7 decay
3 떨어져 나가다 8 similar
4 귀족 9 exist
5 노예 10 wealthy

B 1 Some of them ordered hamburgers, and the others ordered sandwiches.
2 Some of them are dirty, and the others are clean.
3 Some of them come from China, and the others are domestic products.

C 1 She consumed so much sugar that her teeth quickly decayed.
2 Black teeth became a great fashion among women in England.
3 They painted their teeth black so that they would not look like slaves.

2 Origin p. 10

A 1 나타내다, 대표하다 6 symbol
2 뒤집힌 7 vertical
3 뺄셈 8 enormous
4 진보한 9 addition
5 계산 10 accomplish

B 1 The tap water is safe to drink.
2 The photocopier is easy to use.

3 The problem is complicated to explain on the phone.

C 1 They used a counting system based on the number 10.
2 The Egyptians used special symbols to represent units.
3 It made more advanced calculations nearly impossible.

3 Law p. 11

A 1 타당한 6 law
2 물을 내리다 7 odd
3 정부 8 illegal
4 ~에서 탈출하다 9 make sure
5 외국인 10 crime

B 1 You have to make sure you lock the door.
2 You have to make sure the printer has enough paper in it.
3 You have to make sure you have enough water.

C 1 There are some truly odd laws in the world.
2 Is the law always reasonable and understandable?
3 It is not a crime in Denmark to escape from jail.

4 Health p. 12

A 1 심장 박동 수 6 burn
2 화학 물질 7 disease
3 더없는 행복 8 obesity
4 ~의 부족 9 common
5 ~로 이어지다 10 guarantee

B 1 Nothing could be better!
2 Nothing could be more exciting!
3 Nothing could be more beautiful!

C 1 Exercise is good for your mood.
2 Exercise makes you better looking.
3 Exercise helps you age well.

Chapter 04

1 Math p. 13

A 1 고대의 6 length
2 측정하다 7 precisely
3 걸음, 보폭 8 come from
4 폭, 너비 9 adopt
5 엄지손가락 10 modernize

B 1 His confidence comes from his firm belief.
2 The word comes from an African language.
3 My information comes from a reliable source.

C 1 What did Romans measure things with?
2 An inch was the width of an average man's thumb.
3 The rest of the world modernized ages ago.

2 Unusual Food p. 14

A 1 곤충 6 feeding
2 줄이다 7 produce
3 기아, 배고픔 8 ideal
4 ~와 달리 9 consumer
5 동시에 10 overcome

B 1 She ate three times more cereal than my younger brother did.
2 It has five times more caffeine than a cup of coffee does.
3 Women speak three times more words than men do.

C 1 Eating insects can reduce global warming.
2 Insects need no special care.
3 Insects eat grass and then turn it into protein.

3 World News p. 15

A 1 (사람, 동물을) 치다 6 hollow
2 주인 7 bone
3 권유하다 8 be covered in
4 수술 9 grow into
5 끼워 맞추다 10 grow back

B 1 This is how he always wins a chess game.
2 This is how we go through a maze.

3 This is how she handles customers' complaints.

C 1 She took him to an animal hospital.
2 The doctor recommended a surgery to give him new feet.
3 He can walk just like he did before.

4 People p. 16

A 1 아마, 어쩌면 6 improve
2 물건, 물질 7 compared to
3 천재 8 merely
4 전기, 전력 9 fame
5 고용하다 10 recently

B 1 He would be happy to hear your opinion.
2 He would be happy to meet you.
3 He would be happy to talk to you.

C 1 Tesla was a true genius in the science of electricity.
2 It's the system the whole world uses to this day.
3 A Hollywood movie was made about him recently.

Chapter 05

1 Body p. 17

A 1 소름, 닭살 6 ancestor
2 수축하다 7 totally
3 가두다, 끌어 모으다 8 frightened
4 털이 많은 9 attack
5 울퉁불퉁한 10 stand

B 1 Do you know why he looks depressed?
2 Do you know why she didn't come?
3 Do you know why he failed?

C 1 They were totally covered in hair.
2 This is how hairy animals keep themselves warm.
3 Big animals are less likely to be attacked.

2 Stories p. 18

A 1 빽빽한 6 challenging
2 끔찍한 7 trail
3 회복 8 injury
4 업적 9 raise
5 ~을 돌보다 10 amazing

B 1 She was planning to travel to Europe.
2 They were planning to have a party.
3 He was planning to move to a new house.

C 1 The Kokoda Track is one of the world's most challenging hikes.
2 Even though she was not fully recovered, she decided to join them.
3 It was my way to say 'thank you' to everyone.

3 Information p. 19

A 1 ~을 제외하고는 6 expire
2 냉장고 7 safety
3 ~하는 한 8 quality
4 양 9 rate
5 치우다, 없애다 10 shelf

B 1 You can learn something new as long as you want.
2 You can go on a field trip as long as the weather is good.
3 You can borrow it as long as you give it back to me tomorrow.

C 1 Do we have to throw food products out after their "best by" date?
2 Food companies want their products tasted at best quality.
3 Most people couldn't even tell the difference.

4 Technology p. 20

A 1 울리다 6 bother
2 영리한, 똑똑한 7 repetition
3 운동 8 awake
4 적어도, 최소한 9 frozen
5 뒤쫓다 10 set

B 1 Does she have a lot of trouble booking the concert tickets?
2 Do you have a lot of trouble finding the subway station?
3 Does he have a lot of trouble falling asleep?

C 1 You should try one of these clever clocks.
2 It's time to get up and have breakfast.
3 You have to get out of bed and chase it down.

Chapter 06

1 Information p. 21

A 1 부착된
2 설명하다
3 상태
4 유효 수명, 사용 수명
5 망치다
6 represent
7 instruction
8 icon
9 bleach
10 guide

B 1 My mom taught me how to make pancakes.
2 The baby lions should learn how to hunt.
3 She taught students how to write an essay.

C 1 It tells you how you can ruin them.
2 What do they mean?
3 The little icons represent important instructions.

2 Extreme Sports p. 22

A 1 극도로, 극히
2 참가자
3 천, 직물
4 펴다, 벌리다
5 증가하다
6 surface
7 essentially
8 unlike
9 straight
10 experience

B 1 Have you ever seen a bear?
2 Have you ever done volunteer work?
3 Have you ever been to Italy?

C 1 Wingsuit flying is an extremely dangerous form of skydiving.
2 The wingsuit makes your body into a flying machine.
3 It's like experiencing the dream of flying.

3 Health p. 23

A 1 ~로 고통을 받다
2 영구적인
3 청력 손상
4 전문가
5 비난하다, ~을 탓하다
6 damage
7 expose
8 source
9 control
10 cause

B 1 More and more children are suffering from hunger.
2 More and more people are suffering from wars.
3 More and more people are suffering from depression.

C 1 How can we prevent permanent hearing loss?
2 If you can't get away, use protection.
3 Keep the sound down on your headphones.

4 Myth p. 24

A 1 눈에 보이지 않는
2 맹세하다
3 궁전
4 질투하는
5 망가트리다
6 eventually
7 decide
8 until
9 fall asleep
10 immediately

B 1 He fell down so hard that he had to call an ambulance.
2 I am so full that I can't go to sleep now.
3 They were so noisy that their neighbors complained.

C 1 He didn't want to scare her.
2 They lived in a beautiful palace.
3 Her sisters became very jealous of her.

Chapter 07

1 Health p. 25

A 1 권장하다
2 전기의
3 장치, 기구
4 비만
5 (~을) 끄다
6 expert
7 harmful
8 quality
9 provide
10 hormonal

B 1 We call him "a walking dictionary."
2 They call him "a computer geek."
3 She calls him "a hero."

C 1 Sleep experts recommend eight hours of sleep a night.

2 The changes can lead to obesity and mental problems.
3 Switch off the gadgets and get more sleep.

2 Entertainment p. 26

A

1 철자를 쓰다	6 intense
2 침착하게 행동하다	7 annual
3 압박	8 correctly
4 대회, 경쟁	9 claim
5 논란	10 judge

B 1 Are you good at giving advice?
2 Are you good at singing songs?
3 Are you good at playing the piano?

C 1 Can you stay cool under intense pressure?
2 The final is held in Washington D.C.
3 Some experts claimed that the spelling was wrong.

3 Architecture p. 27

A

1 쓰레기, 폐기물	6 imagine
2 받치다	7 mixture
3 건설, 공사	8 obvious
4 규제, 규정	9 benefit
5 창의적인	10 standard

B 1 Let's keep studying math.
2 Let's keep watching the movie.
3 Let's keep helping them.

C 1 Can you imagine a bridge made of plastic waste?
2 It is far more environmentally friendly than steel and concrete.
3 Recycled material isn't considered safe and strong.

4 Jobs p. 28

A

1 백화점	6 weird
2 겨드랑이의	7 taster
3 국제적인	8 odor
4 맨 아래, 바닥	9 stranger
5 되팔다	10 collect

B 1 What's the most exciting sport you've ever heard of?
2 What's the longest name you've ever heard of?
3 What's the strangest festival you've ever heard of?

C 1 Would you like to try scuba diving?
2 She says she is used to it now.
3 He makes around $30,000 a year.

Chapter 08

1 Art p. 29

A

1 평화	6 protest
2 간단한, 단순한	7 historian
3 전쟁 반대의, 반전의	8 success
4 상징, 부호	9 international
5 아마, 어쩌면	10 get an idea

B 1 It's the world's hardest game.
2 It's the world's tallest mountain.
3 It's the world's greatest song.

C 1 It's not a painting, but a simple line drawing.
2 Picasso was invited to design a symbol for Peace Conference.
3 He got an idea for his design from his friend.

2 Sports p. 30

A

1 우울증	6 run
2 ~에 따르면	7 self-esteem
3 문제가 있는	8 fail
4 치료	9 support
5 깨닫다	10 achieve

B 1 We don't see it as a big problem.
2 Some people don't see it as an accident.
3 I don't see it as a failure.

C 1 They run surfing courses for young people.
2 It really does improve their self-esteem.
3 He can achieve almost anything.

3 Education p. 31

A 1 고통, 괴로움 6 be good at
2 자원봉사 7 depend on
3 ~을 얻다 8 valuable
4 가치 있는 9 point of view
5 경험 10 deal with

B 1 You can change the way you think.
2 You can change the way you talk.
3 You can change the way you act.

C 1 You can find out the things you are good at.
2 You can even feel proud of yourself.
3 Volunteering helps you deal with these worries.

4 Information p. 32

A 1 매력적인 6 keep in mind
2 정확히 7 emotional
3 다소, 대략 8 therefore
4 차이 9 in other words
5 나이 듦에 따라 10 throughout

B 1 Do you want to know how to keep fit?
2 Do you want to know how to drive a car?
3 Do you want to know how to make this cake?

C 1 Her left side is more attractive than her right side.
2 The two sides of your face are not exactly the same.
3 Keep in mind that the right brain is more emotional.

Chapter 09

1 Life p. 33

A 1 비관주의자 6 optimist
2 성공적인 7 notice
3 ~에 감사하다 8 positive
4 ~을 달성하다 9 outcome
5 ~을 상상하다 10 blame

B 1 I found out that the final exam is tomorrow.
2 We found out that we were living in the same apartment.
3 He found out that the jewel was worth a million dollars.

C 1 Do you consider yourself an optimist?
2 Write down the good things you noticed.
3 You can make good things happen in your life.

2 Language p. 34

A 1 똑같이 6 language
2 ~와 관계가 있다 7 share
3 공동으로 8 root
4 순서 9 grammar
5 동사 10 vocabulary

B 1 Taking a walk in the morning is good for your health.
2 Going out late at night is dangerous.
3 Eating too much salt is harmful for your health.

C 1 Not all languages are equally difficult to learn.
2 Languages that are related to yours are easier to learn.
3 Choose a language related to your mother tongue.

3 Architecture p. 35

A 1 본사, 본부 6 weight
2 공간, 장소 7 crooked
3 평범한 8 enormous
4 ~에 의해 영감을 받다 9 trunk
5 동화 10 resemble

B 1 Can you guess what I am thinking?
2 Can you guess who wrote the novel?
3 Can you guess who won first prize?

C 1 It looks like it's in a crazy mirror.
2 This building is seven stories tall.
3 It was built to resemble an elephant.

4 Academic p. 36

A 1 연구 논문 6 make sure
2 출처 7 note
3 도입 8 conclusion
4 바로잡다 9 support
5 구두점 10 submit

B 1 Make sure everyone fastens his or her seat belt.
2 Make sure you lock all the doors.
3 Make sure you take medicine as directed.

C 1 Are you about to begin a research paper?
2 When you finish your first draft, go over it several times.
3 When you are happy with it, submit it on time.

Chapter 10

1 History p. 37

A 1 ~에 관한 한 6 over the century
2 고대의 7 gradually
3 모조(품) 8 flat
4 금속 9 in the middle
5 거리 10 burden

B 1 It is not easy to learn foreign languages.
2 It is important to save wild animals.
3 It is dangerous to ride a bike at night.

C 1 People living far inland couldn't get these sea shells.
2 The coins changed into flat disks with a hole.
3 They started using paper instead.

2 Food p. 38

A 1 ~와 마찬가지로 6 separately
2 진화하다 7 experience
3 추가의 8 copy
4 해로운 9 form
5 형질, 특징 10 remarkably

B 1 I have a lot in common with my friends.
2 She doesn't have anything in common with her sister.
3 Cats have many things in common with tigers.

C 1 They had the same parents millions of years ago.
2 The kiwi plant's genome copied itself twice.
3 Kiwis have remarkably high vitamin C.

3 Health p. 39

A 1 코를 골다 6 cause
2 작은, 가벼운 7 serious
3 ~로 고통받다 8 frequently
4 우울증 9 block
5 심장 질환 10 protect

B 1 Police officers help children cross the street.
2 A good rest helps you focus on working.
3 The book helps you understand ancient history.

C 1 Most people think that snoring is a minor thing.
2 The airway is used to breathe.
3 A simple solution is now available.

4 Science p. 40

A 1 불을 밝히다 6 bubble
2 기본적으로 7 temperature
3 ~로 가득 차다 8 suitable
4 산소 9 alternative
5 ~을 완전히 태우다 10 humble

B 1 I have worked at this company for 10 years.
2 She has lived in Busan for 3 years.
3 The boy has been in hospital for 3 days.

C 1 The light bulbs are still doing a good job.
2 The bubble is filled with gas.
3 It turns its energy into heat.

Memo

새 교과서 반영
중등 독해 시리즈
READING 공감

- 최신 교과서의 학습 내용을 반영한 흥미롭고 유익한 스토리 구성
- 창의, 나눔, 문화, 건강, 과학, 심리, 음식, 직업 등의 다양한 주제
- 독해 실력 및 창의력을 향상시킬 수 있는 객관식, 서술형 문제 수록
- 세상에 이런 일이! 알면 알수록 재미있는 코너, 지식채널 수록
- 마인드맵을 활용한 단계별 스토리텔링 코너, 이미지맵 수록
- 어휘 실력을 탄탄하게 해 주는 코너, Review Test 수록
- 어휘, 문장 쓰기 실력을 향상시킬 수 있는 서술형 워크북 제공

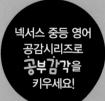

넥서스 중등 영어
공감시리즈로
공부감각을
키우세요!

www.nexusEDU.kr
MP3 무료 다운로드

NEXUS makes your next day
www.nexusEDU.kr | 책에 대해 궁금한 사항은 넥서스에듀 홈페이지 1:1 고객상담 게시판을 이용하세요.

수준별 맞춤

Vocabulary 시리즈

The Voca
Level 1~7

This Is Vocabulary
초급, 중급, 고급

Grammar 시리즈

Grammar 공감
Level 1~3

After School Grammar
Level 1~3

Grammar Bridge
Level 1~3

중학영문법 뽀개기
Level 1~3

The Grammar
Starter
Level 1~3

OK Grammar
Level 1~4

This Is Grammar
초급 1·2
중급 1·2
고급 1·2

새 교과서 반영
중등 독해 시리즈
공부감각

공감 READING

넥서스영어교육연구소 지음

Workbook

Level 3

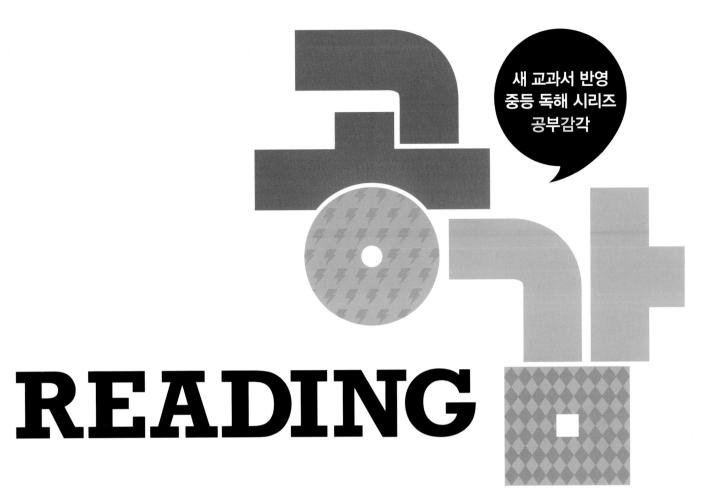

NEXUS Edu

1 Health

Chapter 1

A 영어는 우리말로, 우리말은 영어로 쓰시오.

1 contain ______________

2 obesity ______________

3 hit the shelves ______________

4 ordinary ______________

5 while ______________

6 퍼지다, 확산되다 ______________

7 제품 ______________

8 끔찍한 ______________

9 저장하다 ______________

10 대체하다 ______________

B 〈보기〉와 같이 우리말과 같은 뜻이 되도록 문장을 완성하시오.

보기 너는 이 식품들이 더 많은 설탕을 포함하고 있다는 것을 알았니? (these foods, contain, more sugar)

→ Did you know that these foods contain more sugar?

1 너는 그가 겨우 스무 살이라는 것을 알았니? (he, is, only, twenty years old)

→ ______________________________

2 너는 그녀가 야구를 좋아한다는 것을 알았니? (she, likes, baseball)

→ ______________________________

3 너는 그녀가 시험에서 A를 받은 것을 알았니? (she, got, an A, on the test)

→ ______________________________

C 우리말과 같은 뜻이 되도록 주어진 단어를 배열하여 문장을 완성하시오.

1 고지방 식품이 당뇨병과 비만의 원인이 되었다. (and obesity, high-fat foods, diabetes, caused)

→ ______________________________

2 저지방 식품들이 출시되었다. (the shelves, hit, low-fat products)

→ ______________________________

3 어떻게 그 문제를 해결했는가? (the problem, was, how, solved)

→ ______________________________

2 Jobs

Chapter 1

A 영어는 우리말로, 우리말은 영어로 쓰시오.

1 find out ______________
2 come up ______________
3 select ______________
4 feature ______________
5 suit ______________
6 열정 ______________
7 관리하다 ______________
8 다양한, 많은 ______________
9 무료로 ______________
10 홍보하다 ______________

B 〈보기〉와 같이 우리말과 같은 뜻이 되도록 문장을 완성하시오.

> 보기 무엇이 가장 어려운 점인가? (hard, part)
> → What's the hardest part?

1 무엇이 가장 좋은 점인가? (good, part)
→ ______________________________

2 무엇이 세상에서 가장 빠른 동물인가? (fast, animal, in the world)
→ ______________________________

3 무엇이 세상에서 가장 높은 건물인가? (tall, building, in the world)
→ ______________________________

C 우리말과 같은 뜻이 되도록 주어진 단어를 배열하여 문장을 완성하시오.

1 그녀는 평상시에 무슨 일을 하는가? (do, a normal day, does, what, on, she)
→ ______________________________

2 그녀는 행사에 대한 글을 쓸 여행 작가를 발굴한다. (travel writers, she, to write, finds, about the events)
→ ______________________________

3 샌프란시스코에는 볼만한 훌륭한 행사가 너무 많다. (to see, San Francisco, has, too many great events)
→ ______________________________

3 Stories

Chapter 1

A 영어는 우리말로, 우리말은 영어로 쓰시오.

1 blind ____________

2 feel sorry for ____________

3 at the same time ____________

4 chase ~ away ____________

5 return ____________

6 ~을 찾다 ____________

7 ~로 만든 ____________

8 허리 ____________

9 ~으로 변하다 ____________

10 주머니 ____________

B 〈보기〉와 같이 우리말과 같은 뜻이 되도록 문장을 완성하시오.

보기 그것은 나무껍질로 만든 앞치마였다. (an apron, tree bark)
→ It was an apron made from tree bark.

1 그것은 청포도로 만든 포도주였다. (wine, green grapes)
→ ____________

2 그것은 옥수수로 만든 연료였다. (fuel, corn)
→ ____________

3 그것은 흰 밀가루로 만든 빵이었다. (bread, white flour)
→ ____________

C 우리말과 같은 뜻이 되도록 주어진 단어를 배열하여 문장을 완성하시오.

1 그를 돕는 것은 쉽지 않았다. (easy, help, not, it, him, was, to)
→ ____________

2 캥거루가 사냥꾼을 쫓아버렸다. (the hunter, away, the kangaroo, chased)
→ ____________

3 그는 그녀에게 훌륭한 선물을 주었다. (her, he, a wonderful gift, gave)
→ ____________

4 Technology

Chapter 1

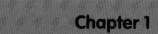

A 영어는 우리말로, 우리말은 영어로 쓰시오.

1 back then ______

2 constantly ______

3 mass ______

4 destruction ______

5 original ______

6 남아 있다 ______

7 숨겨진, 감춰진 ______

8 ~을 주의하다 ______

9 다수의 ______

10 호기심이 많은 ______

B 〈보기〉와 같이 우리말과 같은 뜻이 되도록 문장을 완성하시오.

보기 우리는 사이버 테러리스트를 조심해야 한다. (cyber terrorists)
→ We must beware of cyber terrorists.

1 우리는 젖은 바닥을 조심해야 한다. (wet floors)
→ ______

2 우리는 그 개를 조심해야 한다. (the dog)
→ ______

3 우리는 빙판길을 조심해야 한다. (icy roads)
→ ______

C 우리말과 같은 뜻이 되도록 주어진 단어를 배열하여 문장을 완성하시오.

1 '해커'라는 말에 부정적인 의미가 없었다. (the word "hacker", a negative meaning, have, didn't)
→ ______

2 해커는 컴퓨터로 하여금 무슨 일이든 하게 만들 수 있다. (do, make, can, anything, hackers, computers)
→ ______

3 해커는 모든 좋은 일과 나쁜 일을 한다. (things, all those, the hackers, good and bad, do)
→ ______

1 Culture

Chapter 2

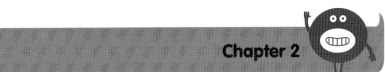

A 영어는 우리말로, 우리말은 영어로 쓰시오.

1 hoop ______________

2 traditionally ______________

3 nightmare ______________

4 slip through ______________

5 trap ______________

6 대단히 흥미로운 ______________

7 문화 ______________

8 깃털 ______________

9 걸다, 매달다 ______________

10 광선, 한 줄기 ______________

B 〈보기〉와 같이 우리말과 같은 뜻이 되도록 문장을 완성하시오.

보기 드림캐처는 가장 흥미로운 물건 중 하나이다. (dream catchers, fascinating, object)
→ A dream catcher is one of the most fascinating objects.

1 뉴욕은 세계에서 가장 유명한 도시 중 하나이다. (New York, famous, city, in the world)
→

2 그 축제는 올해 가장 큰 행사 중 하나였다. (the festival, big, event, of the year)
→

3 그녀는 우리 학교에서 가장 똑똑한 학생 중 한 명이다. (she, smart, student, in our school)
→

C 우리말과 같은 뜻이 되도록 주어진 단어를 배열하여 문장을 완성하시오.

1 엄마들은 자녀들을 위해서 그것들을 만들었다. (for, made, mothers, their children, them)
→

2 밤공기는 꿈으로 채워져 있었다. (dreams, the night air, was, with, filled)
→

3 나쁜 꿈은 통과할 수 없다. (not, could, bad dreams, pass through)
→

2 Psychology

Chapter 2

A 영어는 우리말로, 우리말은 영어로 쓰시오.

1 messy ____________
2 slightly ____________
3 turn down ____________
4 dimly lit ____________
5 creativity ____________
6 게재하다, 싣다 ____________
7 깔끔한, 정돈된 ____________
8 주된 ____________
9 능력 ____________
10 북돋우다 ____________

B 〈보기〉와 같이 우리말과 같은 뜻이 되도록 문장을 완성하시오.

> 보기 책상을 계속 조금 지저분하게 해라. (your desk, a little messy)
> → Keep your desk a little messy.

1 너의 방을 계속 깨끗하게 해라. (your room, clean)
→ ____________

2 너의 손을 계속 따뜻하게 해라. (your hands, warm)
→ ____________

3 너의 아이들을 계속 조용하게 해라. (your children, quiet)
→ ____________

C 우리말과 같은 뜻이 되도록 주어진 단어를 배열하여 문장을 완성하시오.

1 당신이 바라보는 주된 색깔을 파란색으로 만들어라. (the main color, look at, that, make, you, blue)
→ ____________

2 모든 학생이 독창적인 문제 해결 능력을 검사 받았다.
(were tested for, creative, all students, problem-solving ability)
→ ____________

3 그들은 다른 학생들보다 독창적인 아이디어를 두 배 많이 생각해 냈다.
(twice, they, as many creative ideas as, produced, the others)
→ ____________

3 Information

Chapter 2

A 영어는 우리말로, 우리말은 영어로 쓰시오.

1 unpopular ______________

2 motor vehicle ______________

3 collapse ______________

4 absorb ______________

5 uncomfortable ______________

6 (차량의) 뒷좌석 ______________

7 사고, 충돌하다 ______________

8 승객 ______________

9 ~하기 위하여 ______________

10 충격, 영향 ______________

B 〈보기〉와 같이 우리말과 같은 뜻이 되도록 문장을 완성하시오.

보기 그것이 차에서 가장 어린 사람이 그 자리에 앉는 이유이다. (the youngest person in the car, sits, there)
→ That's why the youngest person in the car sits there.

1 그것이 그녀가 의사가 되고 싶어 하는 이유이다. (she, wants, to be, a doctor)
→ ______________

2 그것이 내가 보통 지하철을 타는 이유이다. (I, usually, take the subway)
→ ______________

3 그것이 오늘 아침에 내가 약간 늦은 이유이다. (I, was, a little bit, late, this morning)
→ ______________

C 우리말과 같은 뜻이 되도록 주어진 단어를 배열하여 문장을 완성하시오.

1 누가 자동차의 가운데 뒷좌석에 앉고 싶어 하는가? (in a car, who, in the middle back seat, to sit, wants)
→ ______________

2 차 안에서 가장 인기 없는 좌석이 우연히도 가장 안전한 좌석이다.
(in the car, the most unpopular seat, happens to, the safest, be)
→ ______________

3 이는 가운데 좌석이 더 큰 '크러시 존'을 가지기 때문이다.
(the middle seat, this is because, a bigger "crush zone", has)
→ ______________

4 Education

Chapter 2

A 영어는 우리말로, 우리말은 영어로 쓰시오.

1 bully ____________

2 cruel ____________

3 old-fashioned ____________

4 anonymous ____________

5 seriously ____________

6 기본적으로 ____________

7 해로운 ____________

8 피해자, 희생자 ____________

9 압도된 ____________

10 연락하다 ____________

B 〈보기〉와 같이 우리말과 같은 뜻이 되도록 문장을 완성하시오.

보기 온라인상의 괴롭힘이 예전 방식의 괴롭힘보다 해롭다. (online bullying, harmful, old-fashioned one)
→ Online bullying is more harmful than old-fashioned one.

1 시험은 내가 기대했던 것보다 더 어려웠다. (the exam, difficult, I expected)

→ ____________

2 올 여름이 작년보다 더 더울 것이다. (summer this year, hot, summer last year)

→ ____________

3 인터넷에 광고를 내는 것이 신문보다 더 효과적이다.
(advertising on the Internet, effective, in the newspaper)

→ ____________

C 우리말과 같은 뜻이 되도록 주어진 단어를 배열하여 문장을 완성하시오.

1 그것을 멈추기 위해 우리가 무엇을 할 수 있을까? (it, we, do, can, stop, what, to)

→ ____________

2 사이버 폭력은 어느 곳에서나 일어날 수 있다. (can, anywhere, happen, cyber bullying)

→ ____________

3 대부분의 인터넷 회사는 사이버 폭력을 매우 심각하게 받아들인다.
(take, very seriously, most Internet companies, cyber bullying)

→ ____________

1 Stories

Chapter 3

A 영어는 우리말로, 우리말은 영어로 쓰시오.

1 rare	________	6 설탕이 든	________
2 consume	________	7 썩다	________
3 fall out	________	8 비슷한	________
4 nobility	________	9 존재하다	________
5 slave	________	10 부유한	________

B 〈보기〉와 같이 우리말과 같은 뜻이 되도록 문장을 완성하시오.

> **보기** 그 중 몇 개는 빠졌고, 나머지는 검게 변했다. (fell out, became, black)
> → Some of them fell out, and the others became black.

1 그 중 몇몇은 햄버거를 주문했고, 나머지는 샌드위치를 시켰다. (ordered, hamburgers, ordered, sandwiches)

→ ________

2 그 중 몇몇은 더럽고, 나머지는 깨끗하다. (are, dirty, are, clean)

→ ________

3 그 중 몇몇은 중국산이고, 나머지는 국내산 제품이다. (come from China, are, domestic products)

→ ________

C 우리말과 같은 뜻이 되도록 주어진 단어를 배열하여 문장을 완성하시오.

1 그녀는 설탕을 아주 많이 먹어서 치아가 빨리 썩었다.
(her teeth, consumed, that, she, so much sugar, quickly decayed)

→ ________

2 검은 치아가 영국 여성들 사이에서 크게 유행했다.
(a great fashion, black teeth, among women in England, became)

→ ________

3 그들은 노예처럼 보이지 않기 위해 이를 검은색으로 칠했다.
(their teeth black, they, look like slaves, they painted, so that, would not)

→ ________

2 Origin

Chapter 3

A 영어는 우리말로, 우리말은 영어로 쓰시오.

1	represent	______	6	상징, 기호	______
2	upside-down	______	7	수직의	______
3	subtraction	______	8	거대한, 막대한	______
4	advanced	______	9	덧셈	______
5	calculation	______	10	완수하다	______

B 〈보기〉와 같이 우리말과 같은 뜻이 되도록 문장을 완성하시오.

> **보기** 그 체계는 이해하기 쉬웠다. (the system, easy, understand)
> → The system was easy to understand.

1 수돗물은 마시기에 안전하다. (the tap water, safe, drink)

→ ______

2 그 복사기는 사용하기 쉽다. (the photocopier, easy, use)

→ ______

3 그 문제는 전화로 설명하기 복잡하다. (the problem, complicated, explain, on the phone)

→ ______

C 우리말과 같은 뜻이 되도록 주어진 단어를 배열하여 문장을 완성하시오.

1 그들은 숫자 10을 기본으로 하는 계산 체계를 사용했다.
(used, the number 10, they, a counting system, based on)

→ ______

2 이집트인들은 단위를 대표하는 특별한 상징들을 사용했다.
(special symbols, used, the Egyptians, units, to represent)

→ ______

3 그것은 심화된 계산을 거의 불가능하게 했다. (more advanced calculations, nearly, it, impossible, made)

→ ______

3 Law

Chapter 3

A 영어는 우리말로, 우리말은 영어로 쓰시오.

1 reasonable ____________

2 flush ____________

3 government ____________

4 escape from ____________

5 foreigner ____________

6 법 ____________

7 이상한 ____________

8 불법적인 ____________

9 반드시 ~하다 ____________

10 범죄 ____________

B 〈보기〉와 같이 우리말과 같은 뜻이 되도록 문장을 완성하시오.

보기 당신은 그 아래에 아이들이 없는지 확인해야 한다. (no children, are, under there)
→ You have to make sure no children are under there.

1 당신은 문을 잠갔는지 확인해야 한다. (you, lock, the door)
→ ____________

2 당신은 프린터에 종이가 충분히 있는지 확인해야 한다. (the printer, has, enough paper, in it)
→ ____________

3 당신은 물이 충분히 있는지 확인해야 한다. (you, have, enough water)
→ ____________

C 우리말과 같은 뜻이 되도록 주어진 단어를 배열하여 문장을 완성하시오.

1 세상에는 정말로 이상한 법이 다소 있다. (odd laws, there are, some, in the world, truly)
→ ____________

2 법은 항상 합리적이고, 이해할 수 있는가? (understandable, reasonable, always, is, and, the law)
→ ____________

3 덴마크에서는 감옥에서 도망치는 것은 범죄가 아니다. (a crime, to escape, it, in Denmark, from jail, is not)
→ ____________

4 Health

A 영어는 우리말로, 우리말은 영어로 쓰시오.

1 heart rate ____________

2 chemical ____________

3 bliss ____________

4 lack of ____________

5 lead to ____________

6 태우다 ____________

7 질병 ____________

8 비만 ____________

9 흔한 ____________

10 보장한다 ____________

B 〈보기〉와 같이 우리말과 같은 뜻이 되도록 문장을 완성하시오.

보기 이보다 맞는 말은 없다! (true)
→ Nothing could be truer!

1 이보다 나은 것은 없다! (good)
→ ____________

2 이보다 신 나는 것은 없다! (exciting)
→ ____________

3 이보다 아름다운 것은 없다! (beautiful)
→ ____________

C 우리말과 같은 뜻이 되도록 주어진 단어를 배열하여 문장을 완성하시오.

1 운동은 당신의 기분에 좋다. (for, is, your mood, good, exercise)
→ ____________

2 운동은 당신을 더 잘생겨 보이게 해 준다. (better looking, makes, exercise, you)
→ ____________

3 운동은 당신이 나이를 잘 먹도록 도와준다. (age, helps, well, you, exercise)
→ ____________

1 Math

A 영어는 우리말로, 우리말은 영어로 쓰시오.

1 ancient ____________

2 measure ____________

3 pace ____________

4 width ____________

5 thumb ____________

6 길이 ____________

7 꼭, 정확히 ____________

8 ~에서 유래하다 ____________

9 채택하다, 선정하다 ____________

10 현대화하다 ____________

B 〈보기〉와 같이 우리말과 같은 뜻이 되도록 문장을 완성하시오.

보기 inch는 라틴어인 uncia에서 온 것이다. (inch, the Latin word *uncia*)
→ Inch comes from the Latin word *uncia*.

1 그의 자신감은 그의 확고한 믿음에서 온 것이다. (his confidence, his firm belief)
→ ____________

2 그 단어는 아프리카 언어에서 온 것이다. (the word, an African language)
→ ____________

3 내 정보는 믿을 만한 출처에서 온 것이다. (my information, a reliable source)
→ ____________

C 우리말과 같은 뜻이 되도록 주어진 단어를 배열하여 문장을 완성하시오.

1 로마인들은 무엇을 가지고 사물을 측정했을까? (did, what, measure, things with, Romans)
→ ____________

2 1인치는 보통 남성의 엄지손가락 너비였다. (was, an inch, an average man's thumb, the width of)
→ ____________

3 세계의 다른 곳은 옛날 옛적에 현대화되었다. (ages ago, modernized, the rest of the world)
→ ____________

2 Unusual Food

Chapter 4

A 영어는 우리말로, 우리말은 영어로 쓰시오.

1 insect ____________

2 reduce ____________

3 hunger ____________

4 unlike ____________

5 at the same time ____________

6 먹이 주기 ____________

7 생산하다, 배출하다 ____________

8 이상적인 ____________

9 소비자 ____________

10 극복하다 ____________

B 〈보기〉와 같이 우리말과 같은 뜻이 되도록 문장을 완성하시오.

보기 귀뚜라미는 소보다 열두 배나 많은 단백질을 만든다. (crickets, make, protein, cows do)
→ Crickets make twelve times more protein than cows do.

1 그녀는 내 남동생보다 세 배나 많은 시리얼을 먹었다. (she, ate, cereal, my younger brother did)
→ ____________

2 그것은 커피 한 잔보다 다섯 배나 많은 카페인을 함유하고 있다. (it, has, caffeine, a cup of coffee does)
→ ____________

3 여성은 남성보다 세 배 정도 많은 말을 한다. (women, speak, words, men do)
→ ____________

C 우리말과 같은 뜻이 되도록 주어진 단어를 배열하여 문장을 완성하시오.

1 곤충을 먹는 것이 지구 온난화를 줄일 수 있다. (global warming, can, eating insects, reduce)
→ ____________

2 곤충들은 어떤 특별한 보호를 필요로 하지 않는다. (special care, insects, no, need)
→ ____________

3 곤충들은 풀을 먹고 나서 그것을 단백질로 바꾼다. (eat, and then, insects, protein, grass, turn it into)
→ ____________

3 World News

A 영어는 우리말로, 우리말은 영어로 쓰시오.

1	run over	______	6	텅 빈	______
2	owner	______	7	뼈	______
3	recommend	______	8	~로 싸여 있다	______
4	surgery	______	9	~ 안으로 자라다	______
5	fit	______	10	다시 자라다	______

B 〈보기〉와 같이 우리말과 같은 뜻이 되도록 문장을 완성하시오.

보기 이것이 그가 세계 최초의 사이보그 고양이가 된 사연이다. (became, the world's first cyborg cat)
→ This is how he became the world's first cyborg cat.

1 이것이 그가 체스 게임에서 항상 이기는 방법이다. (always, wins, a chess game)
→ ______

2 이것이 우리가 미로를 통과하는 방법이다. (go through, a maze)
→ ______

3 이것이 그녀가 고객의 불만을 다루는 방법이다. (handles, customers' complaints)
→ ______

C 우리말과 같은 뜻이 되도록 주어진 단어를 배열하여 문장을 완성하시오.

1 그녀는 그를 동물 병원으로 데려 갔다. (to, she, an animal hospital, him, took)
→ ______

2 그 의사는 그에게 새로운 발을 갖게 해 주는 수술을 권유했다.
(to give, new feet, the doctor, him, a surgery, recommended)
→ ______

3 그는 예전에 걸었던 것처럼 걸을 수 있다. (walk, he did, he, before, can, just like)
→ ______

4 People

Chapter 4

A 영어는 우리말로, 우리말은 영어로 쓰시오.

1 probably ____________
2 stuff ____________
3 genius ____________
4 electricity ____________
5 employ ____________
6 개선하다, 향상시키다 ____________
7 ~와 비교하여 ____________
8 그저, 단지 ____________
9 명성 ____________
10 최근에 ____________

B 〈보기〉와 같이 우리말과 같은 뜻이 되도록 문장을 완성하시오.

> 보기 그가 진실을 알면 기뻐할 거야. (know, the truth)
> → He would be happy to know the truth.

1 그는 너의 의견을 들으면 기뻐할 거야. (hear, your opinion)
→ ____________

2 그는 너를 만나면 기뻐할 거야. (meet, you)
→ ____________

3 그는 너와 이야기하면 기뻐할 거야. (talk to, you)
→ ____________

C 우리말과 같은 뜻이 되도록 주어진 단어를 배열하여 문장을 완성하시오.

1 Tesla는 전기 과학 분야에서 진정한 천재였다. (was, in the science of electricity, a true genius, Tesla)
→ ____________

2 그것은 전 세계가 오늘날까지 사용하는 체제이다. (uses, the system, it's, to this day, the whole world)
→ ____________

3 최근에 그에 관한 할리우드 영화가 만들어졌다. (him recently, was, about, a Hollywood movie, made)
→ ____________

1 Body

A 영어는 우리말로, 우리말은 영어로 쓰시오.

1 goose bumps ______________
2 contract ______________
3 trap ______________
4 hairy ______________
5 bumpy ______________
6 조상, 선조 ______________
7 완전히 ______________
8 겁먹은 ______________
9 공격하다 ______________
10 참다, 견디다 ______________

B 〈보기〉와 같이 우리말과 같은 뜻이 되도록 문장을 완성하시오.

보기 너는 그것들이 왜 생기는지 알고 있니? (you, get, them)
→ Do you know why you get them?

1 너는 그가 왜 우울해 보이는지 아니? (he, looks, depressed)
→ ______________

2 너는 그녀가 왜 안 왔는지 아니? (she, didn't come)
→ ______________

3 너는 그가 왜 실패했는지 아니? (he, failed)
→ ______________

C 우리말과 같은 뜻이 되도록 주어진 단어를 배열하여 문장을 완성하시오.

1 그들은 털로 완전히 덮여 있었다. (hair, totally, they, covered, were, in)
→ ______________

2 이것이 털이 많은 동물이 스스로를 따뜻하게 유지하는 방법이다.
(keep, warm, how, themselves, this is, hairy animals)
→ ______________

3 큰 동물들이 공격을 덜 받을 것 같다. (less likely, big animals, be attacked, to, are)
→ ______________

2 Stories

Chapter 5

A 영어는 우리말로, 우리말은 영어로 쓰시오.

1 dense ________________

2 horrible ________________

3 recovery ________________

4 achievement ________________

5 look after ________________

6 도전적인 ________________

7 코스, 산길 ________________

8 부상, 상처 ________________

9 (자금을) 모으다 ________________

10 놀라운 ________________

B 〈보기〉와 같이 우리말과 같은 뜻이 되도록 문장을 완성하시오.

> 보기 그들은 코코다를 걷는 것을 계획하고 있었다. (walk, the Kokoda)
> → They were planning to walk the Kokoda.

1 그녀는 유럽 여행을 계획하고 있었다. (travel to, Europe)

→ ____

2 그들은 파티를 열려고 계획하고 있었다. (have, a party)

→ ____

3 그는 새집으로 이사를 하려고 계획하고 있었다. (move to, a new house)

→ ____

C 우리말과 같은 뜻이 되도록 주어진 단어를 배열하여 문장을 완성하시오.

1 코코다 트랙은 세계에서 가장 도전적인 하이킹 코스 중 하나이다.
(one of, hikes, is, the Kokoda Track, the world's most challenging)

→ ____

2 그녀는 완전히 회복되지 않았음에도 불구하고, 그들에게 동참하기로 했다.
(she, even though, decided to, was not, she, join, fully recovered, them)

→ ____

3 그것은 모든 사람에게 감사의 인사를 전하는 나만의 방법이었다.
('thank you', to say, to everyone, was, it, my way)

→ ____

3 Information

Chapter 5

A 영어는 우리말로, 우리말은 영어로 쓰시오.

1 except for ____________
2 fridge ____________
3 as long as ____________
4 amount ____________
5 remove ____________
6 만료되다 ____________
7 안전 ____________
8 질 ____________
9 등급을 매기다 ____________
10 선반 ____________

B 〈보기〉와 같이 우리말과 같은 뜻이 되도록 문장을 완성하시오.

보기 너는 그것이 생김새가 괜찮다면 사용할 수 있다. (use, it, looks, fine)
→ You can use it as long as it looks fine.

1 너는 네가 원한다면 새로운 것을 배울 수 있다. (learn, something new, you, want)
→ ____________

2 너는 날씨가 좋다면 현장 학습을 갈 수 있다. (go, on a field trip, the weather, is, good)
→ ____________

3 너는 내일 돌려준다면 그것을 빌려가도 된다. (borrow, it, you, give it back to me, tomorrow)
→ ____________

C 우리말과 같은 뜻이 되도록 주어진 단어를 배열하여 문장을 완성하시오.

1 우리는 '유통기한'이 지난 식품을 버려야만 할까?
(have to, food products out, after their "best by" date, we, throw, do)
→ ____________

2 식품 회사들은 제품이 최상의 상태일 때 시식되기를 원한다.
(their products, at best quality, food companies, want, tasted)
→ ____________

3 대부분의 사람은 차이점조차 구별해 낼 수 없을 것이다. (the difference, most people, couldn't, even tell)
→ ____________

4 Technology

Chapter 5

A 영어는 우리말로, 우리말은 영어로 쓰시오.

1 go off ____________
2 clever ____________
3 workout ____________
4 at least ____________
5 chase ____________
6 ~을 괴롭히다 ____________
7 반복 ____________
8 깨어 있는 ____________
9 냉동된 ____________
10 (시계, 기기를) 맞추다 ____________

B 〈보기〉와 같이 우리말과 같은 뜻이 되도록 문장을 완성하시오.

보기 너는 일어나는 데 많은 어려움을 겪고 있니? (wake up)
→ Do you have a lot of trouble waking up?

1 그녀는 콘서트 티켓을 예매하는 데 많은 어려움을 겪고 있니? (book, the concert tickets)
→ ____________

2 너는 지하철역을 찾는 데 많은 어려움을 겪고 있니? (find, the subway station)
→ ____________

3 그는 잠이 드는 데 많은 어려움을 겪고 있니? (fall asleep)
→ ____________

C 우리말과 같은 뜻이 되도록 주어진 단어를 배열하여 문장을 완성하시오.

1 당신은 이 똑똑한 시계들 중 하나를 시도해 봐야 한다. (should, these clever clocks, you, one of, try)
→ ____________

2 일어나서 아침을 먹을 시간이다. (get up, time, have, breakfast, to, it's, and)
→ ____________

3 당신은 침대에서 나와서 그것을 쫓아가야 한다. (get out of, chase it down, have to, and, you, bed)
→ ____________

1 Information

A 영어는 우리말로, 우리말은 영어로 쓰시오.

1 attached ____________
2 explain ____________
3 condition ____________
4 useful life ____________
5 ruin ____________
6 나타내다 ____________
7 설명, 방법 ____________
8 다림질하다 ____________
9 표백하다 ____________
10 안내 ____________

B 〈보기〉와 같이 우리말과 같은 뜻이 되도록 문장을 완성하시오.

> **보기** 그 표는 당신의 옷을 깨끗이 유지하는 방법을 설명한다. (the labels, explain, keep, your clothes, clean)
> → The labels explain how to keep your clothes clean.

1 우리 엄마는 나에게 팬케이크 만드는 방법을 가르쳐주셨다. (my mom, taught, me, make, pancakes)
→ ____________

2 아기 사자들은 사냥하는 법을 배워야 한다. (the baby lions, should, learn, hunt)
→ ____________

3 그녀는 학생들에게 에세이 쓰는 방법을 가르쳤다. (she, taught, students, write, an essay)
→ ____________

C 우리말과 같은 뜻이 되도록 주어진 단어를 배열하여 문장을 완성하시오.

1 그것은 네가 그것들을 망칠 수 있는 방법을 알려 준다. (ruin, tells, how you can, them, it, you)
→ ____________

2 그들이 의미하는 것은 무언인가? (they, what, mean, do)
→ ____________

3 조그만 아이콘들은 중요한 설명을 나타낸다. (instructions, represent, the little icons, important)
→ ____________

2 Extreme Sports

Chapter 6

A 영어는 우리말로, 우리말은 영어로 쓰시오.

1 extremely ______________
2 participant ______________
3 fabric ______________
4 spread out ______________
5 increase ______________
6 표면 ______________
7 기본적으로 ______________
8 ~와 다르게 ______________
9 똑바로 ______________
10 경험하다 ______________

B 〈보기〉와 같이 우리말과 같은 뜻이 되도록 문장을 완성하시오.

보기 너는 윙슈트에 대해 들어본 적이 있니? (hear of, wingsuit flying)
→ Have you ever heard of wingsuit flying?

1 너는 곰을 본 적이 있니? (see, a bear)
→ ______________

2 너는 봉사활동을 해 본 적이 있니? (do, volunteer work)
→ ______________

3 이탈리아에 가 본 적이 있니? (be, to Italy)
→ ______________

C 우리말과 같은 뜻이 되도록 주어진 단어를 배열하여 문장을 완성하시오.

1 윙슈트 플라잉은 매우 위험한 형태의 스카이다이빙이다.
(an extremely dangerous form, wingsuit flying, of skydiving, is)
→ ______________

2 윙슈트는 당신의 몸을 비행기로 만들어 준다. (into, makes, a flying machine, the wingsuit, your body)
→ ______________

3 그것은 날아다니는 꿈을 경험하는 것과 같다. (flying, like, it's, the dream of, experiencing)
→ ______________

3 Health

A 영어는 우리말로, 우리말은 영어로 쓰시오.

1 suffer from ______________

2 permanent ______________

3 hearing loss ______________

4 expert ______________

5 blame ______________

6 손상을 입히다, 손상 ______________

7 노출시키다 ______________

8 근원, 원천 ______________

9 조절하다 ______________

10 야기하다 ______________

B 〈보기〉와 같이 우리말과 같은 뜻이 되도록 문장을 완성하시오.

> **보기** 점점 더 많은 10대가 영구적인 청력 손상으로 고통받고 있다. (teenagers, permanent hearing loss)
>
> → More and more teenagers are suffering from permanent hearing loss

1 점점 더 많은 아이들이 배고픔으로 고통받고 있다. (children, hunger)

→ ______________

2 점점 더 많은 사람들이 전쟁으로 고통받고 있다. (people, wars)

→ ______________

3 점점 더 많은 사람들이 우울증으로 고통받고 있다. (people, depression)

→ ______________

C 우리말과 같은 뜻이 되도록 주어진 단어를 배열하여 문장을 완성하시오.

1 우리는 어떻게 하면 영구적인 청력 손상을 막을 수 있을까? (permanent hearing loss, can, how, prevent, we)

→ ______________

2 만약 피할 수 없다면, 보호 기구를 사용해라. (can't, use, if, you, protection, get away)

→ ______________

3 헤드폰 소리를 작게 유지해라. (your headphones, the sound down, keep, on)

→ ______________

4 Myth

Chapter 6

A 영어는 우리말로, 우리말은 영어로 쓰시오.

1 invisible ______________
2 swear ______________
3 palace ______________
4 jealous ______________
5 destroy ______________
6 결국 ______________
7 결심하다 ______________
8 ~까지 ______________
9 잠들다 ______________
10 즉시 ______________

B 〈보기〉와 같이 우리말과 같은 뜻이 되도록 문장을 완성하시오.

보기 그녀는 너무 놀라서 양초에서 촛농을 떨어트리고 말았다. (was, amazed, dripped, wax, from her candle)
→ She was so amazed that she dripped wax from her candle.

1 그는 너무 세게 넘어져서 구급차를 불러야 했다. (fell down, hard, had to, call, an ambulance)
→ ______________

2 나는 너무 배가 불러서 지금 잠을 잘 수 없다. (am, full, can't, go to sleep, now)
→ ______________

3 그들이 너무 시끄러워서 이웃들이 항의했다. (noisy, their neighbors, complained)
→ ______________

C 우리말과 같은 뜻이 되도록 주어진 단어를 배열하여 문장을 완성하시오.

1 그는 그녀를 무섭게 하고 싶지 않았다. (want, scare, he, her, didn't, to)
→ ______________

2 그들은 아름다운 궁전에서 살았다. (lived, a, beautiful, in, palace, they)
→ ______________

3 그녀의 언니들은 그녀를 매우 질투하게 되었다. (very jealous, her sisters, her, became, of)
→ ______________

1 Health

Chapter 7

A 영어는 우리말로, 우리말은 영어로 쓰시오.

1 recommend ______________

2 electrical ______________

3 device ______________

4 obesity ______________

5 switch off ______________

6 전문가 ______________

7 해로운 ______________

8 질 ______________

9 제공하다 ______________

10 호르몬의 ______________

B 〈보기〉와 같이 우리말과 같은 뜻이 되도록 문장을 완성하시오.

보기 그는 그 문제를 '쓰레기 수면'이라고 부른다. (junk sleep)
→ He calls the problem "junk sleep."

1 우리는 그를 '걸어 다니는 사전'이라고 부른다. (a walking dictionary)
→ ______________

2 그들은 그를 '컴퓨터광'이라고 부른다. (a computer geek)
→ ______________

3 그녀는 그를 '영웅'이라고 부른다. (a hero)
→ ______________

C 우리말과 같은 뜻이 되도록 주어진 단어를 배열하여 문장을 완성하시오.

1 수면 전문가들은 하룻밤에 8시간의 수면을 취하는 것을 권장한다.
(recommend, a night, of sleep, sleep experts, eight hours)
→ ______________

2 변화는 비만과 정신적인 문제로 이어질 수 있다. (obesity, can, the changes, and mental problems, lead to)
→ ______________

3 기기의 전원을 끄고 잠을 좀 더 자도록 하라. (the gadgets, more sleep, and, switch off, get)
→ ______________

2 Entertainment

A 영어는 우리말로, 우리말은 영어로 쓰시오.

1 spell ____________
2 stay cool ____________
3 pressure ____________
4 competition ____________
5 controversy ____________
6 극심한 ____________
7 연례의 ____________
8 정확하게 ____________
9 주장하다 ____________
10 심사위원 ____________

B 〈보기〉와 같이 우리말과 같은 뜻이 되도록 문장을 완성하시오.

보기 너는 철자법을 잘 알고 있니? (spelling)
→ Are you good at spelling?

1 너는 조언해 주는 것을 잘하니? (giving advice)
→ ____________

2 너는 노래 부르는 것을 잘하니? (singing songs)
→ ____________

3 너는 피아노 연주를 잘하니? (playing the piano)
→ ____________

C 우리말과 같은 뜻이 되도록 주어진 단어를 배열하여 문장을 완성하시오.

1 당신은 극심한 압박 속에서 침착함을 유지할 수 있는가? (intense pressure, you, cool, can, under, stay)
→ ____________

2 결승전은 워싱턴에서 열린다. (is held, Washington D.C. the final, in)
→ ____________

3 몇몇 전문가들은 철자가 잘못되었다고 주장했다. (the spelling, some, was, that, wrong, claimed, experts)
→ ____________

3 Architecture

A 영어는 우리말로, 우리말은 영어로 쓰시오.

1 waste ______________
2 support ______________
3 construction ______________
4 regulations ______________
5 creative ______________
6 상상하다 ______________
7 혼합물 ______________
8 분명한, 명백한 ______________
9 이득, 이점 ______________
10 기준, 수준 ______________

B 〈보기〉와 같이 우리말과 같은 뜻이 되도록 문장을 완성하시오.

보기 계속해서 창의적인 새로운 사용 방법을 찾아보자. (find, creative new uses)
→ Let's keep finding creative new uses.

1 계속해서 수학 공부를 하자. (study, math)
→ ______________________________

2 계속해서 그 영화를 보자. (watch, the movie)
→ ______________________________

3 계속해서 그들을 돕자. (help, them)
→ ______________________________

C 우리말과 같은 뜻이 되도록 주어진 단어를 배열하여 문장을 완성하시오.

1 플라스틱 폐기물로 만들어진 다리를 상상할 수 있는가?
(plastic waste, imagine, you, made of, can, a bridge)
→ ______________________________

2 그것은 철강이나 콘크리트보다 훨씬 더 친환경적이다.
(is, environmentally friendly, it, far more, steel and concrete, than)
→ ______________________________

3 재활용된 재료들은 안전하고 튼튼하다고 여겨지지 않는다.
(and strong, isn't, recycled material, considered, safe)
→ ______________________________

4 Jobs

Chapter 7

A 영어는 우리말로, 우리말은 영어로 쓰시오.

1 department store ______________
2 underarm ______________
3 international ______________
4 bottom ______________
5 resell ______________
6 기이한, 기묘한 ______________
7 맛 감식가 ______________
8 냄새 ______________
9 낯선 사람 ______________
10 모으다 ______________

B 〈보기〉와 같이 우리말과 같은 뜻이 되도록 문장을 완성하시오.

보기 당신이 들어본 것 중 가장 기이한 직업은 무엇인가? (weird, job)
→ What's the weirdest job you've ever heard of?

1 당신이 들어본 것 중 가장 흥미진진한 스포츠는 무엇인가? (exciting, sport)
→ ______________

2 당신이 들어본 것 중 가장 긴 이름은 무엇인가? (long, name)
→ ______________

3 당신이 들어본 것 중 가장 이상한 축제는 무엇인가? (strange, festival)
→ ______________

C 우리말과 같은 뜻이 되도록 주어진 단어를 배열하여 문장을 완성하시오.

1 스쿠버 다이빙을 해 보고 싶은가요? (to, like, scuba diving, try, you, would)
→ ______________

2 그녀는 이제는 익숙하다고 말한다. (she, she, it now, used, is, says, to)
→ ______________

3 그는 1년에 거의 30,000달러를 번다. (makes, a year, he, around $30,000)
→ ______________

1 Art

A 영어는 우리말로, 우리말은 영어로 쓰시오.

1 peace ______________

2 simple ______________

3 anti-war ______________

4 symbol ______________

5 perhaps ______________

6 항의, 시위(운동) ______________

7 역사가 ______________

8 성공 ______________

9 국제적인 ______________

10 영감, 생각을 얻다 ______________

B 〈보기〉와 같이 우리말과 같은 뜻이 되도록 문장을 완성하시오.

보기 그것은 세계에서 가장 훌륭한 반전 그림이다. (good, anti-war painting)
→ It's the world's best anti-war painting.

1 그것은 세계에서 가장 어려운 게임이다. (hard, game)

→ ______________

2 그것은 세계에서 가장 높은 산이다. (tall, mountain)

→ ______________

3 그것은 세계에서 가장 훌륭한 노래이다. (great, song)

→ ______________

C 우리말과 같은 뜻이 되도록 주어진 단어를 배열하여 문장을 완성하시오.

1 그것은 그림이 아니라, 단순한 선화이다. (a painting, it's, a simple line drawing, but, not)

→ ______________

2 피카소는 평화 회의를 위한 상징을 디자인하도록 초청되었다.
(a symbol, Picasso, for Peace Conference, was, to design, invited)

→ ______________

3 그는 디자인에 대한 아이디어를 친구에게서 얻었다. (got, he, for his design, an idea, from his friend)

→ ______________

2 Sports

Chapter 8

A 영어는 우리말로, 우리말은 영어로 쓰시오.

1 depression ____________
2 according to ____________
3 troubled ____________
4 therapy ____________
5 realize ____________
6 운영하다 ____________
7 자신감 ____________
8 실패하다 ____________
9 도움, 지지 ____________
10 달성하다, 성취하다 ____________

B 〈보기〉와 같이 우리말과 같은 뜻이 되도록 문장을 완성하시오.

보기 아이들은 그것을 치료로 보지 않는다. (the kids, therapy)
→ The kids don't see it as therapy.

1 우리는 그것을 큰 문제로 보지 않는다. (we, a big problem)
→ ____________

2 어떤 사람들은 그것을 사고로 보지 않는다. (some people, an accident)
→ ____________

3 나는 그것을 실패로 보지 않는다. (I, a failure)
→ ____________

C 우리말과 같은 뜻이 되도록 주어진 단어를 배열하여 문장을 완성하시오.

1 그들은 젊은이들을 위해 파도타기 과정을 운영한다. (for, they, young people, surfing courses, run)
→ ____________

2 그것은 정말로 그들의 자신감을 향상시킨다. (does improve, really, their, it, self-esteem)
→ ____________

3 그는 거의 무엇이든지 해낼 수 있다. (achieve, he, anything, almost, can)
→ ____________

3 Education

Chapter 8

A 영어는 우리말로, 우리말은 영어로 쓰시오.

1 suffering ______________

2 volunteering ______________

3 gain ______________

4 valuable ______________

5 experience ______________

6 ~을 잘하다 ______________

7 ~에 의지하다 ______________

8 의미 있는 ______________

9 관점, 견해 ______________

10 다루다, 처리하다 ______________

B 〈보기〉와 같이 우리말과 같은 뜻이 되도록 문장을 완성하시오.

> 보기 너는 너 자신을 바라보는 방식을 바꿀 수 있다. (look at, yourself)
> → You can change the way you look at yourself.

1 너는 생각하는 방식을 바꿀 수 있다. (think)

→ ______________________________

2 너는 말하는 방식을 바꿀 수 있다. (talk)

→ ______________________________

3 너는 행동하는 방식을 바꿀 수 있다. (act)

→ ______________________________

C 우리말과 같은 뜻이 되도록 주어진 단어를 배열하여 문장을 완성하시오.

1 당신이 잘하는 것을 알아낼 수 있다. (can, find out, you are good at, you, the things)

→ ______________________________

2 당신은 심지어 스스로를 자랑스러워할 수도 있다. (even, feel, proud of, you, yourself, can)

→ ______________________________

3 자원봉사는 당신이 이러한 걱정을 해결하는 것을 도와준다.
(deal with, helps, these worries, volunteering, you)

→ ______________________________

4 Information

Chapter 8

A 영어는 우리말로, 우리말은 영어로 쓰시오.

1 attractive ______________
2 exactly ______________
3 more or less ______________
4 difference ______________
5 with age ______________
6 명심하다 ______________
7 감성적인 ______________
8 그러므로 ______________
9 다시 말해서 ______________
10 ~동안, 내내 ______________

B 〈보기〉와 같이 우리말과 같은 뜻이 되도록 문장을 완성하시오.

보기 당신은 사진에서 더 예쁘게 보이는 방법을 알고 싶나요? (look, prettier, in photos)
→ Do you want to know how to look prettier in photos?

1 당신은 건강을 유지하는 방법을 알고 싶나요? (keep, fit)
→ ______________

2 당신은 운전하는 방법을 알고 싶나요? (drive, a car)
→ ______________

3 당신은 이 케이크를 만드는 방법을 알고 싶나요? (make, this cake)
→ ______________

C 우리말과 같은 뜻이 되도록 주어진 단어를 배열하여 문장을 완성하시오.

1 그녀의 왼쪽 옆얼굴이 오른쪽 옆얼굴보다 더 매력적이다.
(than, is, her left side, her right side, more attractive)
→ ______________

2 당신의 양옆 얼굴은 완전히 똑같지 않다. (exactly the same, the two sides, not, of your face, are)
→ ______________

3 우뇌가 더 감성적이라는 것을 명심해라. (the right brain, that, more emotional, keep in mind, is)
→ ______________

1 Life

A 영어는 우리말로, 우리말은 영어로 쓰시오.

1 pessimist ____________
2 successful ____________
3 be grateful for ____________
4 achieve ____________
5 imagine ____________
6 낙천주의자 ____________
7 ~을 의식하다 ____________
8 긍정적인 ____________
9 결과 ____________
10 ~을 탓하다 ____________

B 〈보기〉와 같이 우리말과 같은 뜻이 되도록 문장을 완성하시오.

보기 그들은 낙천주의자가 더 성공적이라는 것을 알아냈다. (optimists, more successful)
→ They found out that optimists were more successful.

1 내일 기말고사가 있다는 것을 알았다. (the final exam, is, tomorrow)
→ ____________

2 우리는 우리가 같은 아파트에 살고 있음을 알게 되었다. (we, were living, in the same apartment)
→ ____________

3 그는 그 보석이 백만 달러의 가치가 있다는 것을 알게 되었다. (the jewel, was worth, a million dollars)
→ ____________

C 우리말과 같은 뜻이 되도록 주어진 단어를 배열하여 문장을 완성하시오.

1 당신은 자신을 낙천주의자라고 생각하는가? (an optimist, consider, you, do, yourself)
→ ____________

2 당신이 알아낸 좋은 일들을 적어라. (you, write down, the good things, noticed)
→ ____________

3 당신은 인생에서 좋은 일이 일어나도록 만들 수 있다. (good things, in your life, happen, you, make, can)
→ ____________

2 Language

A 영어는 우리말로, 우리말은 영어로 쓰시오.

1 equally ______________
2 be related to ______________
3 in common ______________
4 order ______________
5 verb ______________
6 언어 ______________
7 공유하다 ______________
8 뿌리, 근원 ______________
9 문법 ______________
10 어휘 ______________

B 〈보기〉와 같이 우리말과 같은 뜻이 되도록 문장을 완성하시오.

> **보기** 새로운 언어를 배우는 것은 쉽지 않다. (learn, a new language, easy)
> → Learning a new language is not easy.

1 아침에 산책을 하는 것은 당신의 건강에 좋다. (take a walk, in the morning, good, for your health)
→ ______________________________

2 밤늦게 나가는 것은 위험하다. (go out, late at night, dangerous)
→ ______________________________

3 지나친 소금 섭취는 당신의 건강에 해롭다. (eat, too much salt, harmful, for your health)
→ ______________________________

C 우리말과 같은 뜻이 되도록 주어진 단어를 배열하여 문장을 완성하시오.

1 모든 언어가 똑같이 배우기 어려운 것은 아니다. (to learn, are, not all languages, equally difficult)
→ ______________________________

2 당신의 언어와 관련된 언어는 더 배우기 쉽다. (to learn, are related to yours, are, languages that, easier)
→ ______________________________

3 모국어와 관련된 언어를 선택하라. (your mother tongue, a language, related to, choose)
→ ______________________________

3 Architecture

Chapter 9

A 영어는 우리말로, 우리말은 영어로 쓰시오.

1 headquarters ______________
2 space ______________
3 normal ______________
4 be inspired by ______________
5 fairytale ______________
6 무게가 ~이다 ______________
7 비뚤어진 ______________
8 막대한, 거대한 ______________
9 (코끼리) 코 ______________
10 닮다, 비슷하다 ______________

B 〈보기〉와 같이 우리말과 같은 뜻이 되도록 문장을 완성하시오.

보기 당신은 그 회사가 무엇을 만드는지 추측할 수 있나요? (what, the company, make)
→ Can you guess what the company makes?

1 당신은 내가 무슨 생각을 하고 있는지 추측할 수 있나요? (what, I, think)
→ ______________________________

2 당신은 누가 그 소설을 썼는지 추측할 수 있나요? (who, write, the novel)
→ ______________________________

3 당신은 누가 일등을 했는지 추측할 수 있나요? (who, win, first prize)
→ ______________________________

C 우리말과 같은 뜻이 되도록 주어진 단어를 배열하여 문장을 완성하시오.

1 그것은 이상한 거울 안에 있는 것처럼 보인다. (a crazy mirror, it, in, it's, looks like)
→ ______________________________

2 이 건물은 7층이다. (seven, this building, stories, is, tall)
→ ______________________________

3 이것은 코끼리와 닮게 지어졌다. (an elephant, it, built, to resemble, was)
→ ______________________________

4 Academic

Chapter 9

A 영어는 우리말로, 우리말은 영어로 쓰시오.

1 research paper ______

2 source ______

3 introduction ______

4 correct ______

5 punctuation ______

6 확실하게 하다 ______

7 기록하다, 언급하다 ______

8 결론 ______

9 뒷받침하다 ______

10 제출하다 ______

B 〈보기〉와 같이 우리말과 같은 뜻이 되도록 문장을 완성하시오.

보기 모든 의견이 분명한지 확인해라. (every idea, is, clear)
→ Make sure every idea is clear.

1 모두 안전벨트를 착용하고 있는지 확인해라. (everyone, fastens, his or her, seat belt)
→ ______

2 모든 문을 잠갔는지 확인해라. (you, lock, all the doors)
→ ______

3 지시사항에 따라 약을 먹도록 해라. (you, take, medicine, as directed)
→ ______

C 우리말과 같은 뜻이 되도록 주어진 단어를 배열하여 문장을 완성하시오.

1 연구 논문을 쓰기 시작하려고 하나요? (about to, a research paper, you, begin, are)
→ ______

2 초고를 다 마치면, 여러 번 검토하라. (go over it, when, your first draft, you, several times, finish)
→ ______

3 그것이 만족스러우면, 제시간에 제출하라. (happy with it, on time, submit it, are, you, when)
→ ______

1 History

A 영어는 우리말로, 우리말은 영어로 쓰시오.

1 when it comes to ______
2 ancient ______
3 imitation ______
4 metal ______
5 distance ______
6 수세기 동안 ______
7 점차 ______
8 평평한 ______
9 가운데에 ______
10 짐 ______

B 〈보기〉와 같이 우리말과 같은 뜻이 되도록 문장을 완성하시오.

보기 장거리를 여행하는 것은 매우 어렵다. (very difficult, travel, long distances)
→ It is very difficult to travel long distances.

1 외국어를 배우는 것은 쉽지 않다. (not, easy, learn, foreign languages)
→ ______

2 야생 동물을 구하는 것은 중요하다. (important, save, wild animals)
→ ______

3 밤에 자전거를 타는 것은 위험하다. (dangerous, ride, a bike, at night)
→ ______

C 우리말과 같은 뜻이 되도록 주어진 단어를 배열하여 문장을 완성하시오.

1 먼 내륙에 살고 있는 사람들은 이 바다 조개껍데기를 구할 수 없었다.
(living far inland, these sea shells, people, couldn't get)
→ ______

2 그 주화는 구멍이 있는 평평한 원반으로 바뀌었다. (with a hole, the coins, flat disks, changed into)
→ ______

3 그들은 종이를 대신 사용하기 시작했다. (instead, paper, started, they, using)
→ ______

2 Food

Chapter 10

A 영어는 우리말로, 우리말은 영어로 쓰시오.

1 in common with ______________
2 evolve ______________
3 extra ______________
4 harmful ______________
5 characteristic ______________
6 별도로, 따로 ______________
7 경험하다 ______________
8 복제하다 ______________
9 형성하다 ______________
10 몹시, 매우 ______________

B 〈보기〉와 같이 우리말과 같은 뜻이 되도록 문장을 완성하시오.

보기 키위는 토마토와 많은 유전자를 공통으로 지니고 있다. (kiwi, many genes, tomatoes)
→ Kiwi has many genes in common with tomatoes.

1 나는 내 친구들과 많은 공통점을 지니고 있다. (I, a lot, my friends)
→ ______________

2 그녀는 여동생과 공통점이 전혀 없다. (she, not, anything, her sister)
→ ______________

3 고양이는 호랑이와 많은 공통점을 지니고 있다. (cats, many things, tigers)
→ ______________

C 우리말과 같은 뜻이 되도록 주어진 단어를 배열하여 문장을 완성하시오.

1 그것들은 수백만 년 전에 같은 조상을 가졌다. (had, millions of years ago, the same, they, parents)
→ ______________

2 키위 나무의 유전체는 스스로를 두 번 복제했다. (twice, copied, the kiwi plant's genome, itself)
→ ______________

3 키위는 매우 많은 비타민 C를 함유하고 있다. (vitamin C, remarkably, have, high, kiwis)
→ ______________

3 Health

Chapter 10

A 영어는 우리말로, 우리말은 영어로 쓰시오.

1 snore	______	6 야기하다	______
2 minor	______	7 심각한	______
3 suffer from	______	8 자주, 흔히	______
4 depression	______	9 막다	______
5 heart disease	______	10 보호하다	______

B 〈보기〉와 같이 우리말과 같은 뜻이 되도록 문장을 완성하시오.

보기 이 끈은 많은 사람들이 코골이를 멈추게 도와준다. (this strap, lots of people, stop, snoring)
→ This strap helps lots of people stop snoring.

1 경찰들은 아이들이 길을 건너도록 도와준다. (police officers, children, cross, the street)
→ ______

2 충분한 휴식은 당신이 일에 집중하도록 도와준다. (a good rest, you, focus, on working)
→ ______

3 그 책이 당신이 고대 역사를 이해하도록 도와준다. (the book, understand, ancient history)
→ ______

C 우리말과 같은 뜻이 되도록 주어진 단어를 배열하여 문장을 완성하시오.

1 대부분의 사람들이 코골이가 가벼운 일이라고 생각한다. (that, a minor thing, most people, is, think, snoring)
→ ______

2 기도는 숨을 쉬는 데 사용된다. (to, is, the airway, used, breathe)
→ ______

3 간단한 해결책은 이제 이용 가능하다. (now available, solution, is, simple, a)
→ ______

4 Science

Chapter 10

A 영어는 우리말로, 우리말은 영어로 쓰시오.

1 light up ______________

2 basically ______________

3 be filled with ______________

4 oxygen ______________

5 burn up ______________

6 방울 ______________

7 온도 ______________

8 알맞은, 적합한 ______________

9 대안, 대체 ______________

10 변변치 않은 ______________

B 〈보기〉와 같이 우리말과 같은 뜻이 되도록 문장을 완성하시오.

보기 백열전구는 거의 150년 동안 세상을 밝혀 왔다. (light bulbs, light up, the world, 150 years)

→ Light bulbs have lighted up the world for 150 years.

1 나는 이 회사에서 10년 동안 일해 왔다. (I, work, at this company, 10 years)

→ ______________

2 그녀는 부산에서 3년 동안 살았다. (she, live, in Busan, 3 years)

→ ______________

3 그 소년은 3일 동안 병원에 입원해 있다. (the boy, be, in hospital, 3 days)

→ ______________

C 우리말과 같은 뜻이 되도록 주어진 단어를 배열하여 문장을 완성하시오.

1 백열전구는 여전히 일을 잘 하고 있다. (still, doing, the light bulbs, a good job, are)

→ ______________

2 그 방울은 기체로 가득 차 있다. (with, is, the bubble, gas, filled)

→ ______________

3 그것은 자신의 에너지를 열로 바꾼다. (its energy, turns, it, heat, into)

→ ______________

새 교과서 반영
중등 독해 시리즈
READING 공감

- 최신 교과서의 학습 내용을 반영한 흥미롭고 유익한 스토리 구성
- 창의, 나눔, 문화, 건강, 과학, 심리, 음식, 직업 등의 다양한 주제
- 독해 실력 및 창의력을 향상시킬 수 있는 객관식, 서술형 문제 수록
- 세상에 이런 일이! 알면 알수록 재미있는 코너, 지식채널 수록
- 마인드맵을 활용한 단계별 스토리텔링 코너, 이미지맵 수록
- 어휘 실력을 탄탄하게 해 주는 코너, Review Test 수록
- 어휘, 문장 쓰기 실력을 향상시킬 수 있는 서술형 워크북 제공

www.nexusEDU.kr
MP3 무료 다운로드

NEXUS makes your next day
www.nexusEDU.kr | 책에 대해 궁금한 사항은 넥서스에듀 홈페이지 1:1 고객상담 게시판을 이용하세요.